imagem & texto

Antologia de contos contemporâneos

Este seu olhar

Alcione Araújo
Antonio Carlos Viana
Domingos Pellegrini
Ivan Angelo
Jane Tutikian
Luis Fernando Verissimo
Luiz Vilela
Nélida Piñon
Walcyr Carrasco

Organização e apresentação de Regina Zilberman

Prêmio Altamente Recomendável
para o Jovem FNLIJ 2007

1ª edição

© Dos autores e da organizadora

COORDENAÇÃO EDITORIAL	Maristela Petrili de Almeida Leite
EDIÇÃO DE TEXTO	Erika Alonso
COORDENAÇÃO DE PRODUÇÃO GRÁFICA	André Monteiro, Maria de Lourdes Rodrigues
COORDENAÇÃO DE REVISÃO	Estevam Vieira Lédo Jr.
REVISÃO	Andréa Medeiros
EDIÇÃO DE ARTE/PROJETO GRÁFICO/CAPA	Ricardo Postacchini
DIAGRAMAÇÃO	Camila Fiorenza Crispino
COORDENAÇÃO E TRATAMENTO DE IMAGENS	Américo Jesus
TRATAMENTO DE IMAGENS	Rubens Mendes Rodrigues
SAÍDA DE FILMES	Helio P. de Souza Filho, Marcio H. Kamoto
COORDENAÇÃO DE PRODUÇÃO INDUSTRIAL	Wilson Aparecido Troque
IMPRESSÃO E ACABAMENTO	Gráfica Printi
LOTE	803672
CÓDIGO	12050955

As fotos reproduzidas são de arquivo pessoal
e não sofreram qualquer restauração e corte.

Dados Internacionais de Catalogação na Publicação (CIP)
(Câmara Brasileira do Livro, SP, Brasil)

Este seu olhar / organização e apresentação de
Regina Zilberman. — 1. ed. — São Paulo :
Moderna, 2006. — (Série imagem & texto)

Vários autores.

1. Contos brasileiros 2. Fotografias 3. Imagens
fotográficas 4. Memórias antigas I. Zilberman,
Regina. II. Série.

06-1956 CDD-869.93

Índices para catálogo sistemático:
1. Contos : Literatura brasileira   869.93

Reprodução proibida. Art.184 do Código Penal e Lei 9.610 de 19 de fevereiro de 1998.

Todos os direitos reservados
EDITORA MODERNA LTDA.
Rua Padre Adelino, 758 - Belenzinho
São Paulo - SP - Brasil - CEP 03303-904
Vendas e Atendimento: Tel. (0_ _11) 2790-1300
Fax (0_ _11) 2790-1501
www.modernaliteratura.com.br
2025

Impresso no Brasil

Este seu olhar
Quando encontra o meu
Fala de umas coisas
Que eu não posso acreditar

Tom Jobim / Vinicius de Moraes
© Fermata do Brasil 1958

Sumário

Receita de leitura
página 6
Receita de escrita
página 10
Regina Zilberman

1. O menino é pai do homem
Alcione Araújo
página 13

2. Três revoltas
Antonio Carlos Viana
página 23

3. Ovo de Páscoa
Domingos Pellegrini
página 37

4. Instantâneo
Ivan Angelo
página 45

5. Em família
Jane Tutikian
página 55

6. O da foto e o outro
Luis Fernando Verissimo

página 63

7. Era aqui
Luiz Vilela

página 67

8. O monte sagrado
Nélida Piñon

página 75

9. A foto oficial
Walcyr Carrasco

página 85

Receita de leitura

Regina Zilberman

Ingredientes:

1 foto de infância;
1 texto;
1 autor;
1 leitor;
muita imaginação.

Modo de preparo:

Percorra as fotografias do livro que segue e identifique suas características comuns, que podem ser uma ou várias dessas:
— a presença de uma ou mais crianças em cada uma delas;
— a impressão de serem antigas, porque as pessoas retratadas usam roupas ou penteados que, hoje, julgaríamos fora de moda;
— a coloração em preto e branco.

Leia, depois, as histórias que acompanham as fotografias. Você provavelmente terá uma reação diferente perante cada uma das narrativas:

— rirá dos diálogos, como o que é travado no conto de Luis Fernando Verissimo;

— ficará emocionado com as lembranças proporcionadas pela foto escolar que Walcyr Carrasco quase perdeu;

— viverá a aventura da descoberta, como a que Nélida Piñon relata, ao visitar pela primeira vez a terra de seus antepassados;

— tomará partido dos narradores, quando eles desafiam os limites, como fazem as personagens de Domingos Pellegrini e Luiz Vilela;

— sofrerá com a perda de seres amados, como mostra Jane Tutikian;

— meditará sobre o relacionamento com os pais, como se encontra nos textos de Ivan Angelo e Antonio Carlos Viana;

— e certamente dialogará consigo mesmo, como faz Alcione Araújo diante do retrato de um bebê.

As fotografias podem provocar reações similares, se examinadas em conjunto; mas as histórias sugeridas pelas imagens motivam sentimentos bastante variados. Para a receita dar certo, é preciso que você reflita sobre esses sentimentos e volte às fotos.

Revistas, elas começam a revelar diferenças, porque propõem uma figura física específica para as personagens representadas no texto. Às vezes, as fotos apresentam mais de uma figura, e você terá de pensar a quem mesmo se refere o conto. É o que acontece, por exemplo, no conto de Antonio Carlos Viana, que mostra um adulto acompanhado de três crianças; o mesmo ocorre na história relembrada por Ivan Angelo, em que vemos um homem fardado, caminhando com dois meninos. Qual dessas pessoas é o centro da história? Somente após retornar à imagem, você compreenderá qual é o protagonista do texto e quem são os coadjuvantes. Ivan Angelo introduz ainda outros elementos, pois é ao final que ele efetivamente nomeia pessoas que, à primeira vista, pareciam fazer apenas parte do cenário.

Não é apenas nesse caso que elementos que pareciam não ter grande importância incorporam um significado que nosso olhar inicial provavelmente não percebera. Veja-se o caso da foto do conto de Domingos Pellegrini: somente após a leitura da narrativa entendemos a pose do garoto que protagoniza a ação. O mesmo vale para a foto que ilustra o conto de Luiz Vilela: identificamos que posição é aquela que toma o menino só depois de entender as lembranças do narrador.

Agora que você olhou as fotos, leu os textos e reviu as imagens, é preciso fazer ainda outro movimento: retornar aos contos. Parece exagero? Contudo, essa é a melhor maneira de perceber que os textos não são meras ilustrações das fotos. Sabemos, de antemão, que os retratados são os autores dos contos, alguns, aliás, identificáveis com facilidade, outros, nem tanto, tema que Luis Fernando Verissimo debate, de modo bem-humorado, no diálogo que transcreve. Porém, poucos dentre eles afirmam que o narrado efetivamente aconteceu com eles.

Somos, é claro, tentados a fazer imediatamente a associação: a foto do bebê pertence a Alcione Araújo, que fala do significado que aquela imagem tem para ele; Nélida Piñon relata a aventura experimentada na Galícia, Espanha, em termos memorialistas. Mas, em outros contos, essa proximidade entre vida e obra se esgarça, e começamos a ficar em dúvida: o retrato escolar pertence a Walcyr Carrasco, mas o que o escritor conta pode não ter acontecido com ele; Jane Tutikian lembra o baile carnavalesco, mas ninguém garante que as pessoas representadas, com seus problemas emocionais e financeiros, tenham efetivamente existido. A ficção instala-se aos poucos e acaba por ocupar inteiramente alguns dos relatos, como o de Luiz Vilela. A partir desse ponto, somos obrigados a duvidar mesmo das exposições autobiográficas, porque, em todas, a fantasia entrou em cena e tomou conta do discurso.

Os textos transformam-se, assim, no espaço de convivência entre o real e o imaginário, pois, se a imagem reproduz o que ocorreu ao narrador, este pode relatar o fato acontecido ou, pelo contrário, inventar à beça. Essa convivência é característica de toda narrativa literária, pois, se toda escrita é motivada pelas experiências do autor, este dispõe de completa liberdade para reproduzi-las com grande fidelidade ou, então, para tramar eventos inteiramente fantásticos, sugeridos por sua imaginação.

Eis o que os contos fazem, em maior ou menor proporção, conforme o propósito de seus autores.

Modo de servir – modo de ler:

Um livro não se consome de uma vez só, como se fosse um prato de comida. O leitor percorre um caminho de muitas voltas, que não precisa ir sempre para frente. Ele retorna ao começo, salta etapas, chega ao final e inicia outra vez, conforme o trajeto que desejar.

Eis o que uma obra literária ensina, principalmente quando não quer dar aula, transmitir informações, passar recado, ser educativa. Ela desperta o imaginário desde o início, quando, por exemplo, olhamos um retrato de uma pessoa, seja ela conhecida ou não, célebre ou obscura. Essa foto leva ao texto, se optarmos por essa via, embora possamos escolher o sentido contrário: ler o texto e, depois, contrapô-lo à imagem. De um modo ou de outro, o percurso não encerra aí, já que somos convidados a refazê-lo conforme outras direções, numa espiral infinita. O processo é incessante, porque a imaginação nunca deixa de introduzir novas acepções e sentimentos àquilo que olhamos e lemos.

À diferença entre ler e consumir (ou comer), soma-se outra peculiaridade do livro de leitura: ele introduz o leitor no mundo da fantasia, onde pouco importa se os fatos narrados aconteceram ou não. Importa mesmo é fazer a imaginação conhecer universos novos, originais, despertados pela faculdade que todos temos de inventar, produzindo ações, personagens, coisas, todas elas até então inexistentes.

A iguaria, que pode ser servida em pequenas e grandes porções, e em incontáveis oportunidades, resulta da ficção, manifestação de que apenas o ser humano é capaz.

Receita de escrita

Ingredientes:

1 foto de infância;
1 autor;
1 leitor;
muita imaginação.

Modo de preparo:

Pense primeiro: qual é minha foto preferida? Qual delas me provoca lembranças especiais? Que retrato traduz um momento importante de minha vida?

Feita a escolha, separe a foto, mas deixe-a a seu alcance.

Agora, volte a refletir: o que essa foto me diz? O que ela conta para mim? Essa etapa pode levar algum tempo, mas não procure apressar seus pensamentos. Principalmente porque sua imaginação começará a ser movimentada, já que, como toda foto, esta conta uma história.

Volte à foto, que estava separada. E responda: que história ela conta? Uma narrativa começa a se organizar: o início poderá anteceder a imagem representada no retrato, mas, a esse começo, seguir-se-ão ações, vivenciadas por seres reais ou imaginários, humanos ou não. As ações requerem continuidade, movimento, conflito e solução. Eis que se forma uma narrativa, a que você — e só você — compôs. Responsável pela elaboração do texto, você pode participar dele como personagem, testemunha ou mero narrador; pode relembrar um fato passado ou projetar um acontecimento futuro;

e, assim como teve um começo, disporá de um final, em que os eventos mostrarão um sucesso ou um fracasso, mas, de toda maneira, um acabamento.

Retorne a seu conto, depois de terminá-lo, pois ele requer revisões, rearranjos, sincronização e afinamento dos dados. Supõe-se que a elaboração de um texto é linear, mas, como ocorre à leitura, a escrita exige um permanente vaivém, segundo o qual cabe regressar ao começo, a cada movimento de avanço.

Não deixe, porém, a foto de lado, pois ela regula a história em construção, como se fosse um mecanismo de controle e aprovação constantes. Se a imagem desencadeia a ficção, esta não pode perder de vista o ponto de partida, para que você integre o visual e o oral, a figura e o discurso suscitado por ela.

Modo de servir – modo de ler:

Sirva uma primeira porção a seu leitor, que poderá ser, nesse momento, você mesmo. Sirva, porém, novas porções a outros destinatários, porque eles percorrerão a trilha da leitura, descrita na receita anterior. A leitura apresenta-se de novo, porque, sem o diálogo com o outro, a escrita não completa seu ciclo, o significado não se apresenta, a comunicação não se estabelece. A escrita depende da leitura, porque esta provoca novas escritas, reaparecendo o processo infinito mencionado antes. Incendiada pela imaginação e mediada pelos recursos da ficção, a expressão verbal dispõe de inúmeros meios de se manifestar, e impedi-los é limitar a ação humana.

Sirva-se, pois, à vontade e constantemente, a exemplo dos escritores que formam este livro.

***

Regina Zilberman, nascida em Porto Alegre, licenciou-se em Letras pela UFRGS e doutorou-se em Romanística pela Universidade de Heidelberg, na Alemanha. É professora da PUC-RS, onde leciona Teoria da Literatura e Literatura Brasileira. Realizou o pós-doutoramento no Center for Portuguese & Brazilian Studies, da Brown University, Rhode Island (USA). É pesquisadora 1A do Conselho Nacional de Desenvolvimento Científico e Tecnológico (CNPq). São algumas de suas publicações: *A literatura infantil na escola*; *Literatura infantil brasileira: história & histórias*; *A leitura e o ensino da literatura*; *Estética da recepção e história da literatura*; *A formação da leitura no Brasil*; *Fim do livro, fim da leitura?*; *Como e por que ler a literatura infantil brasileira*.

O menino é pai do homem

Alcione Araújo

Impossível sustentar o deslumbramento da infância
por toda a vida, mas o menino é pai do homem...
(William Wordsworth)

Protegida por um porta-retrato de madeira com vidro na frente, a fotografia fica numa estante diante da mesa de trabalho. Basta erguer o olhar do que leio ou escrevo e naturalmente dou com ela. Concentrado no que faço, a maior parte do tempo nem a percebo, embora o olhar a inclua. E basta intuí-la ali para que se instale em mim o íntimo conforto de estar em lugar conhecido e seguro, que me reconcilia comigo mesmo. Porém, há momentos que não sou eu que a procuro nem o meu olhar que a inclui. Nesses momentos, tenho a estranha sensação de que é a foto que busca o meu olhar. E com tal força, que não resisto, largo o que estiver fazendo e, por longo tempo, me dedico a contemplá-la, numa viagem ao meu passado e, ao mesmo tempo, para dentro de mim. Assim tem sido ao longo desses anos.

É quase incrível que, passados todos esses anos — os últimos vinte e cinco sob a corrosão lenta e implacável da maresia que ataca pela janela —, a foto ainda esteja conservada, a imagem nítida, de contrastes bem definidos, triunfo que atribuo ao acabamento do porta-retrato. Exceto pela mancha esbranquiçada no canto superior esquerdo, que encobriu parte da cortina do fundo, sem, contudo, apagar nada do essencial, a foto permanece tal como foi tirada. No restante, até a própria cortina de fundo está nítida, inclusive a bainha, que ondula rente ao chão em contraste com os tacos claros do piso.

— Esta foto vai sobreviver a mim.

Repito a mim mesmo nos momentos em que ela solicita o meu olhar com a força de um ímã. Mas confesso que fico intrigado ao pensar que aquela imagem deve estar espalhada, em outros porta-retratos, em álbuns, gavetas e baús de família, mesmo sabendo que foi produzida justamente para este fim: apresentar-me ao mundo familiar. Tios, primos, sobrinhos e conhecidos nem devem saber que o fotografado sou eu — há mais de meio século. Intriga ainda mais pensar que esta fotografia continuará circulando por aqui depois que eu morrer. Como é possível, me pergunto, que a fina superfície de nitrato de prata que reproduz a minha imagem — instante fugaz cristalizado sobre um pedaço de papel — possa durar mais que o meu próprio corpo? É efêmero o ímpeto de enfrentar a efemeridade. Mas considero assombroso que a fotografia, mais poderosa que a vida, possa estancar o fluxo do tempo e congelar aquele momento, que jamais se repetirá. Olhar a própria foto — como faço agora — é isolar o instante arrancado do tempo, resgatar o momento vivido e congelar o esboço de gesto que se eternizou inconcluso. É como se um clique aprisionasse a vida no papel — assim como a escrita aprisiona a fala —, embora ela, seguindo seu curso fora da moldura, tenha me trazido até aqui, aquele momento ficou no papel, no qual agora me vejo então. É também assombroso que, além dos familiares, muitos que não conviveram comigo, não me conhecem, sequer sabem meu nome, verão a imagem — privada e fugaz, daquele momento — que se tornou perene e pública. Minha privacidade será violada pela curiosidade de estranhos. Vão devassar minha intimidade até onde a imaginação os levar — vou ser estudado, esquadrinhado, invadido, penetrado, saqueado, na aparência e na intimidade —, e, se tiverem, como eu, o costume de devanear diante da foto de alguém, perguntarão: "Quem foi? Será que ainda está vivo? Será que teve pai, mãe, esposa, filhos? Deixou amigos? Será que amou alguém? Terá sido amado? Foi uma pessoa feliz? Valeu a pena ter vivido a vida que lhe coube?" Confesso que, mesmo não presenciando esta cena — vivo ou morto, estarei longe — fico perturbado com as respostas que terão para essas perguntas. É assustador que minha imagem esteja onde não estou e possa estar onde não estarei. É aterrador que a imitação inerte e plana do meu corpo, não apenas mereça viver mais do que eu, como desperta mais interesse do que eu. Talvez inveje a longevidade da fotografia que, grávida de um passado irrecuperável, encarna a promessa de alçá-lo a um futuro inatingível.

Nu como um anjo do paraíso, meu sacrifício na primeira fotografia, aos oito meses de idade, foi uma oferenda de pureza a Deus e aos santos. Presa ao pescoço por uma fita, a enorme chupeta, repousa sobre o peito — chupeta e fita, únicas coisas na foto que não são parte do meu corpo branco de inocência, em contraste com o fundo preto da foto em branco e preto. Cabeça saliente, cabelos pretos penteados com chuca-chuca ao alto, grandes orelhas, boca triangular entreaberta, esboçando um sorriso que não se completa. Não me mandaram sorrir ou, se mandaram, não obedeci. Sentaram-me na mesa de canto, nua, escura e pesada — tudo sugere a cenografia de estúdio fotográfico. Porém, o que salta aos olhos — e me consola — é o olhar: olhos castanhos, que parecem negros, olham, vivos e brilhantes, para onde, imagino, estariam meus pais ou, o mais provável, só a minha mãe. Foi dela, sem dúvida, a ideia de meter as minhas mãos entre as pernas e, providencialmente, cobrir o que ela deve ter julgado desnecessário, quem sabe indecoroso, aparecer. Ela tinha razão: sinto-me mais confortável com a intimidade resguardada. Gosto de ver no meu olhar a penetrante curiosidade que, hoje, alguns acham devastadora.

Toda imagem é grávida de histórias, e cada história sugere infinitas imagens. A câmara escura da máquina fotográfica é como um palco, cuja caixa teatral pode recriar, fecundados pela luz, o homem e o mundo. A fotografia nasce em silêncio, porém, com duas almas. A alma tecnológica — fiel, rigorosa, infalível e implacável — dá a autenticidade de verdadeiro a tudo que registra. A alma artística — inexata, artificial e subjetiva — dá a emoção. Daí a fotografia ser entendida como a síntese de corpo e alma, de matéria e espírito. O que se vê numa foto depende de quem olha — da sensibilidade da pessoa, do que ela sabe da vida e dos homens, do que acumulou de vivências, experiências e emoções. Duas pessoas, por serem diferentes, não têm a mesma visão de mundo, não percebem o mesmo dourado da lua, não partilham as mesmas impressões sobre a dor ou sobre a alegria e, quando olham uma fotografia, não veem as mesmas coisas, nem sentem as mesmas emoções. Cada um vê o mundo, assim como cada pessoa, à sua maneira. Cada pessoa que nos olha, nos vê à sua maneira. Sou tantos quantos são os que me veem.

Na silenciosa quietude, a criança da foto me instiga e me provoca. Por mais que tente olhar para o outro lado e me distrair da sua presença, por mais que disfarce e evite enfrentá-la, a poderosa imagem do bebê me persegue, me convida e desafia. Quase a ouço dizer: "Decifra-me ou te devoro". E não consigo fazer nada que não seja olhar para ela. E o que vejo não é uma imagem qualquer, é o meu próprio retrato. Se o que percebo de uma foto reflete a pessoa que sou, o retrato que vejo à minha frente é uma espécie de autorretrato. Tomado de incontrolável curiosidade, mergulho no autorretrato e me abismo em mim. Porém, é como se me atirassem num espelho; lá estou eu, pois sei que aquela criança ainda existe no que hoje sou, mas sei também que não estou mais lá e sim aqui. O passado não existe, e só posso estar no tempo presente.

Marcado por manchas, rugas e cicatrizes acumuladas pela vida, meu rosto de hoje contrasta com a suavidade de pétala da pele do bebê. Alguém me contou — ou li em algum lugar, não importa — que um homem vivido decidiu desenhar tudo o que vira ao longo da vida. E pôs-se a desenhar barcos, montanhas, cavernas, casas, palácios, mulheres, homens, animais, árvores, trovões, flores, rios, cachoeiras, etc. Quando concluiu a exaustiva tarefa, e reuniu todos os desenhos, descobriu, surpreso, que desenhara o próprio rosto. Não sei o que teria emanado de mim, que a câmera capturou, o filme imprimiu e o papel fixou. As imagens encerram tanto mistério quanto as palavras.

Quem, dos dois, sou eu — não sei. Procuro em mim vestígios da criança que fui e não encontro. Mas sei que ela faz parte de mim, está em mim, embora não a veja, não a toque, nem a sinta. À primeira vista, parece que eu e aquela criança não temos em comum nada além do olhar intenso e curioso. Com a foto na mão, olho no fundo dos olhos dela. Nossos olhares se penetram. E me lembro de que bebês não sabem que aquilo que veem no espelho é a sua própria imagem virtual, e apontam para o reflexo como se fora um outro bebê. Só mais tarde, lá pelos dois anos, quando percebem a diferença entre a imagem e o seu reflexo, entre o real e o virtual, apontam para si em vez do espelho. Olhos devassadores daqui e olhos devassadores de lá, nos devoramos com o olhar: cada um quer arrancar o segredo do outro, o mistério do outro, a verdade do outro.

Se o retrato é um espelho para mim, sou um espelho para o retrato. A mistura de identidades, a aparente confusão de papéis, que une e separa quem está na foto de quem a vê, que aproxima e

17

afasta a criança de mim, cria uma tensão por me sentir, ao mesmo tempo, nos dois lados; observando-me e sendo observado. Estava aturdido, num momento de confusão assim, pensando que o tempo passou e nada mais me ligava àquela criança, quando ela disse no tom grave da minha voz atual:

— Está contente com o que fez da minha vida?

Foi um susto tão grande que fiquei paralisado, sem saber o que dizer, o que pensar, o que fazer. No primeiro momento, nem acreditei que aquilo estivesse acontecendo. Além do tom inquisitivo da pergunta, com clara intenção de censura e cobrança, a voz era lenta e grave, como a de um baixo profundo, além da extravagância de ser emitida pela boca de um bebê. Cena estranha, meio monstruosa, assustadora e patética. Meu coração disparou, quase saltava da boca. Atarantado, olhei em volta, certificando-me de que não havia mais ninguém no escritório, nem aquilo fora a manifestação de algum espírito revoltado. Quando voltei a ouvir o bebê, estava com o mesmo sorriso e a voz num tom mais alto:

— E então? Está contente com o que fez da minha vida?

Estremeci. Era a minha voz, embora eu continuasse em silêncio. Além de censura e cobrança, dessa vez percebi também a ironia e o sorriso sarcástico na boca triangular. Numa reação, que até me surpreendeu, retruquei na mesma moeda:

— Escuta aqui, garoto: do que está falando? Não estou entendendo sua pergunta. Aliás, antes me diga: quem é você, afinal?

Ele me olhou em silêncio por um tempo; depois sorriu e, numa irônica superioridade, disse:

— Você está entendendo tudo. Sabe muito bem que eu sou você aos oito meses de idade. Estou falando da minha vida, que hoje é sua, que há muitos anos você me tomou. Acho que chegou a hora de fazer um balanço. Há muito tempo que o observo, em silêncio, dessa estante, esperando esta oportunidade. Hoje nós vamos conversar, não vamos?

Assim começou a louca conversa que, à medida que se desenrolava, em vez de esclarecer, enlouquecia ainda mais. Assustado de ouvir a minha voz na boca daquela criança, entrei num pânico crescente. Aos poucos, descobri que o tal balanço era o meu próprio julgamento, sendo que não podia me defender nem me explicar. Em meio a tudo isso, a conversa ainda foi tumultuada por um fenômeno, que supus sobrenatural, e que agravou meu precário estado emocional. Trêmulas, minhas mãos moviam o porta-retrato, variando o ângulo da luz sobre o vidro e mudando a imagem refletida. E revezavam-se: sob o vidro, a da criança e, sobre o mesmo vidro, a minha, em sucessão tão aleatória quanto o tremor das mãos. Embora fosse a mesma voz — não as palavras nem as intenções —, a imagem do vidro mudava, ora eu, ora a criança, e quando se sobrepunham, os diálogos se misturavam num ruído ininteligível.

Na sequência de diálogos que tentei reconstituir, foi difícil lembrar a íntegra do que dissemos, e impossível distinguir quando falava eu ou a criança, a não ser deduzindo-se pelo sentido da fala. Falta conexão no que foi possível reconstituir, mesmo de forma incompleta ou truncada "Por que não deu uma guinada na vida quando viu que..." "Ninguém escapa do destino..." "Não existe destino, cada um constrói a sua vida, que é feita de vitórias e derrotas..." "Por que não me deu força quando viu que..." "Você decide tudo sozinho..." "Criticar é fácil, difícil é viver..." "A palavra de uma criança não mudaria nada..." "Não adianta chorar o leite derramado..."

"...abandonou a criança que havia em você..." "Um dia todo mundo vira adulto..." "Essa criança sou eu..." "Não me culpe, não fui eu que inventei o mundo..." "Onde está a alegria de viver?" "...eu trabalho duro, não há tempo para brincadeiras..." "Nem consegue mais rir..." "...é a vida, fazer o quê?..." "Adorava a vida, mas você a encheu de melancolia..." "Não foi uma opção, não me deixaram escolher..." "Eu tinha tudo para ser feliz..." "Eu tentei ser feliz, fiz o que pude, mas não estava ao meu alcance..." "Onde havia alegria, só restou tédio..." "De onde tirar alegria?" "Em vez da esperança, o medo..." "Vivemos com medo e só agimos pelo medo..." "Em lugar de confiança, o ceticismo..." "E você, acredita em alguma coisa? Diga, então, em que acredita?" "Olha nos meus olhos..." "Não estou gostando dessa conversa..." "Vamos, olha dentro dos meus olhos! Olha! Olha...!"

Estávamos aos gritos, ambos nervosos. Decepcionado e abatido, mãos suadas e trêmulas, percebi que não tinha condições de continuar com a discussão. A sensação de fraqueza, que fez tremer minhas pernas, me roubou energia e disposição. Senti-me fraco, meio tonto e, o que mais me doía, derrotado. Consolei-me com o poeta que, avaliando a própria vida, constatou: "Tudo o que poderia ter sido e que não foi". Um estranho sentimento cresceu dentro de mim. Esforcei-me para entendê-lo. Estava não só envergonhado, como me sentia humilhado pelo juízo que a criança fazia de mim. Tomado de uma tristeza crepuscular, senti uma dor aguda no peito.

Larguei o porta-retrato sobre a mesa de trabalho e fui para o banheiro. Enquanto olhava meu envelhecido rosto no espelho, o bebê gritava do escritório: "Olha! Olha nos meus olhos!" Fui tomado pelo pavor de que no espelho aparecesse um rosto que não fosse o meu — e, então, eu não seria quem penso que sou. Cobri com a mão os olhos fechados. Aos poucos, fui criando coragem, até que consegui tirar a mão. Depois, comecei a abrir os olhos devagar. De repente, lá estavam eles no espelho. E me olhei dentro deles. Até constatar aliviado que eu sou o que sou. Uma grossa lágrima rolou rosto abaixo, deixando o rastro úmido sobre as marcas e rugas por onde outra desceu, e outra, e outra, e infindáveis outras, até meu corpo sacudir em estremecimentos.

Ao voltar à mesa, depois de lavar o rosto, peguei o porta-retrato para repor na estante. Nossas imagens estavam sobrepostas. Vi, então, o que jamais imaginara ver: aquela criança, aquele bebê que, sem o saber e, talvez, sem a intenção, fora impiedoso comigo, agora sorria e piscava o olho para mim. Depois de um momento de pasmo e incredulidade, não resisti à doçura daquele sorriso afetuoso e acolhedor. E sorri com ele, num mútuo entendimento de compreensão profunda. Como se fôssemos uma só pessoa.

Alcione Araújo é mineiro radicado no Rio de Janeiro. Foi professor universitário, com pós-graduação em Filosofia, até tornar-se escritor profissional. Escreveu peças de teatro, entre as quais *Vagas para moças de fino trato*, *A caravana da ilusão* e *Doce deleite* (Civilização Brasileira, 3 vols.), e ganhou o prêmio Molière de melhor autor. Entre outros filmes, escreveu os roteiros de *Nunca fomos tão felizes* e *Policarpo Quaresma*, e recebeu o Kikito, no Festival de Gramado, e o Candango, no Festival de Brasília, de Melhor Roteiro de Longa-Metragem. Para a televisão, escreveu, entre outros trabalhos, a novela *A idade da loba*. Escreve crônica semanal para o jornal *Estado de Minas*. Uma coletânea delas, intitulada *Urgente é a vida*, (Record) ganhou o Prêmio Jabuti em 2005. Atua em várias áreas da vida cultural e intelectual brasileiras, com participação em vários livros de ensaios. Seu romance, *Nem mesmo todo o oceano* (Record), foi finalista do Prêmio Jabuti em 1999.

ARQUIVO DO AUTOR

Três revoltas

Antonio Carlos Viana

Só tive três momentos de revolta na infância, logo dominados por quem de direito: minha mãe. Sempre fui um menino muito quieto no meu canto, me escondia quando chegava gente estranha. Se alguém quisesse me martirizar, era só me chamar para falar com as visitas. Quando ouvia dizer que ia chegar gente, corria para trás de alguma porta e ficava lá o tempo que fosse preciso. Até adormecia. Por isso ninguém me entendeu quando fiz minha primeira malcriação na vida.

Um de meus sonhos de criança era ter uma bola de oxigênio, daquelas que não baixavam nunca, que se a gente soltasse sumia no céu, para sempre. Nas feirinhas de Natal, eu invejava as crianças que passavam por mim com seus balões, cada um mais colorido que o outro. Já havia até escolhido o meu: um todo listrado, em que o amarelo cedia lentamente lugar ao laranja, o laranja ao vermelho, o vermelho ao vinho, até chegar ao bico de um verde esmaecido.

O balão que eu queria dançava entre os outros, como se oferecendo. Éramos pobres e pobre não tem luxo, eu já havia me acostumado a isso. Mas a bola era muito bonita, não era possível que minha mãe tivesse ficado mesmo sem nada na bolsa depois que tiramos aquela foto no lambe-lambe. Antes não tivesse tirado, mas ela entestou, queria mandar para o meu pai ver como estávamos crescidos e bonitos. Fiquei atento para ver se ela ainda ia comprar alguma coisa. Se comprasse, era porque tinha sobrado dinheiro. Ela e minha tia adoravam arriscar a sorte e se dirigiram a um bazar. Só ganhavam besteira: panela de alumínio, bibelôs, bonecas de pano. A única vez que valeu a pena foi quando ganharam um mosquiteiro. Era até divertido ver o coelhinho zonzo procurando uma casinha numerada onde se meter.

Eu vi quando elas compraram o bilhete e o homem ainda lhes dera troco. Quando saímos dali, reuni todas as minhas forças e disse timidamente que queria uma bola. Minha mãe quis me dar uma comum, daquelas que a gente sopra e não acontece nada. Eu queria daquelas que não baixavam nunca. A listrada.

Foi quando meu irmão mais velho disse que estava com sede. Minha mãe foi na direção do vendedor de refresco e comprou um para ele, de mangaba, o que eu mais gostava. Perguntou se eu também queria. Embora estivesse com a garganta seca, eu disse que não, queria era a bola. Ela olhou para mim como quem diz "fique querendo". Quando saímos da barraquinha, esperei que ela se encaminhasse ao vendedor de bolas, mas ela passou sem nem olhar. Foi buscar a foto que já devia estar pronta. Ela nos mostrou e não gostei das minhas pernas. Mangavam delas, dizendo que eram de tesoura.

Ao voltar do lambe-lambe, passamos pelo homem das bolas. A minha ainda estava lá. Imaginei-me com ela, pelo meio da multidão. Acho que não teria sido mais feliz na vida. Puxei no vestido de minha mãe, um vestido de seda, com barras listradas separadas por um estampado amarelo.

Era sua roupa de festa. Puxei uma segunda vez e ela me deu um puxão no cacho que ficava no alto de minha cabeça. Desde que me alcançava, sempre tivera os cabelos grandes. "Quer rasgar meu vestido, menino?", ela falou. Reuni mais uma vez todas as minhas forças e disse que queria uma bola. Apontei a tal de listras, o barbante esticado de doer, como se a qualquer descuido ela fosse se soltar. Minha tia fora conosco. O vestido era igual ao de minha mãe, só mudava a cor do estampado, que era verde. Vivia de vender mangas do sítio e, naquele ano, a safra tinha sido péssima, os relâmpagos haviam queimado quase toda a floração. Sabia que se ela tivesse dinheiro me daria aquela bola.

Parei em frente ao vendedor e me desgarrei do grupo. Quando vi, estava só. Fiquei namorando a bola, achava que ia ser difícil encontrar outra igual. Torci para que ninguém aparecesse e a comprasse. Não apareceu, felizmente. Sempre fui muito tímido, jamais teria coragem de me dirigir ao vendedor e perguntar quanto era. Pensei em meu pai, que tinha ido embora pro Rio de Janeiro arrumar um emprego melhor. Quando a vida melhorasse, ia mandar buscar a gente. Embora fosse homem de poucas palavras, se estivesse ali talvez me desse a bola para compensar sua aridez.

Perdi-me no tempo, o relógio da catedral acabara de soar várias vezes. As duas demoraram a se dar conta de que eu tinha ficado para trás. Olhei a multidão, a bandinha tocava uns dobrados, o tipo de música que eu mais odiava. Comecei a chorar e o homem das bolas viu que eu tinha me perdido. Falou para eu não sair dali que terminariam me achando. Me deu um tamborete para sentar. Foi bom porque fiquei apreciando os balões. De repente, meu coração bateu em descompasso: um menino de paletozinho bege e calça curta se aproximou e pediu logo o quê? A minha bola. Me deu um desespero, uma vontade de chorar bem alto para todo mundo ouvir. Nessa hora achei bom que meu pai não estivesse ali, não admitia que homem chorasse.

Meu sonho se foi pelo meio da multidão e se perdeu depois do carrossel. Quando vi, as duas vinham de lá, desesperadas. Notei logo que eram elas por causa dos vestidos. Minha mãe mancava, o salto do sapato quebrado. Quando me encontrou, saiu me puxando pela orelha. Meu choro aumentou, não tanto pelo puxão mas pela perda da bola. Fiquei envergonhado de ser levado assim entre as pessoas. Foi a primeira vez que esperneei em público. Os beliscões, em vez de me acalmar, só fizeram piorar tudo. Não havia alternativa. Passei a gritar sem nenhuma vergonha que queria uma bola. Logo eu, cuja voz quase ninguém conhecia. Gritei mais alto, outro beliscão e outro e mais outros. A noite estava perdida. Eu não parava de gritar e minha mãe achou melhor voltarmos para casa. Meu irmão me olhava com um jeito de quem diz "não vai adiantar nada". Minha irmã, nos braços de minha tia, acordara e me olhava com seus olhinhos pretos e miúdos. Dali a pouco começou a chorar também. Meus cachos estavam completamente desfeitos, molhados de suor. Eram o meu orgulho, mas o puxavante de minha mãe me fez ter raiva deles pela primeira vez. Finalmente veio um tapa bem forte que elevou meu choro às alturas para depois arrefecer de vez.

*

Minha segunda revolta foi um bom tempo depois, justamente por causa dos meus cabelos. Eu era o único menino louro da rua e não os queria cortar de jeito nenhum. Maiorzinho, eu soube que minha mãe nunca os cortara por causa de uma promessa que fizera antes mesmo de eu nascer, eu com o pescoço enlaçado, a ponto de morrer na barriga junto com ela.

Certa manhã, notei uma movimentação estranha na casa. Era a Semana Santa, cheiro de peixe no ar, muita escama pela casa, muita mosca. Éramos obrigados a comer tudo com coco, até o feijão e o arroz. Só não podia cocada nem baba-de-moça. Nunca entendi o que a morte de Cristo tinha a ver com tanta comida com coco. Era sempre esse cardápio, anos após ano. Eu só gostava mesmo da fritada de caranguejo, com coco, evidentemente. Era um tempo bom porque a casa se enchia de gente. Vinham minha avó e minha tia. Vinham também os primos do Aprendizado, um lugar distante, onde minha outra tia era dona de uma bodega, e o marido, bedel de uma escola do governo. Era a parte da família que posava de rico, sempre bem-vestidos: a menina de cassa bordada; o menino, de paletozinho e já de calça comprida.

Todos vinham para irmos juntos à procissão de Senhor Morto. Eu só não gostava muito de meu primo, que ficava puxando meus cabelos e me chamando de Mariazinha. A casa era pequena, mal nos cabia, minha mãe e os três filhos. Com aquela visita, ficava tudo mais apertado. O melhor da visita era minha prima Mila, bonita, com cara de santa. Brincavam que ela ia se casar comigo. Só não gostei de saber que ela havia espalhado que não casava com menino cabeludo, de cabelo de mulher.

Naquela manhã, a casa em alvoroço, escutei minha mãe dizer que na sexta-feira íamos, enfim, pagar a promessa. Gelei. Pagar promessa significava cortar meus cabelos. Já estava tão acostumado com eles que qualquer ameaça me deixava gelado. Me deu vontade de fugir, correr dali, ir ao encontro de meu pai, embora ele não gostasse de me ver com aqueles cachos. Achava que minha mãe fora longe demais em sua promessa, mas depois se calava, o que dava a dimensão do perigo que eu e ela havíamos corrido.

Logo cedo, minha mãe pôs uma cadeira de braço na calçada com uma tábua de caixote atravessada, como se alguém fosse subir para consertar alguma coisa na fachada. Meu primo falou esfregando as mãos: "É hoje!" Então entendi tudo e fiquei todo cabreiro, procurando um lugar onde me esconder. O matagal ficava longe e diziam que lá se escondia um tal de papa-figo, o terror de todos nós, um homem que arrancava o fígado das crianças para vender aos ricos como remédio para feridas incuráveis.

Fiquei brincando na rua, quando, por volta de umas nove horas, o sol já tirando fagulhas da areia, vi o barbeiro, seu João Albino, um homenzarrão que sempre me assustou com sua risada feia, se aproximar com uma pasta. Era ele quem cortava o cabelo de toda a criançada. Príncipe Danilo era o corte preferido; além de ser mais barato, o cabelo demorava a crescer. Eu não conseguia me pensar de cabeça raspada. Só os meninos mais velhos tinham direito ao corte Maracanã, cheio dos lados, a nuca bem feita. Meu irmão já cortava assim.

Morávamos numa rua sem calçamento, a bodega numa esquina e o salão de seu João Albino na outra, com uma tabuleta onde havia uma tesoura aberta, assustadora. Eu passava do outro lado da rua para não ouvir as gracinhas dele, me chamava de Sansão, sempre ameaçando me pegar. Gostava de me mostrar pela janela a máquina fazendo treque-treque. Eu saía em disparada, o coração na boca. Qualquer pessoa, quando queria me ameaçar, bastava brandir uma tesoura. Veio daí o hábito de me esconder em lugares difíceis, de onde só saía à noite. Como não ligavam mesmo para mim, ninguém dava pela minha falta.

Minha mãe já havia notado que eu não queria cortar os cabelos. Eu me afeiçoara àqueles cachos, uma forma de as pessoas se aproximarem de mim e dizerem como eu era bonitinho. Nem mesmo para casar com Mila eu os cortaria. Me levar para o salão de seu Albino ninguém ia conseguir. Depois do caso da bola, espernear eu já sabia e muito bem. O jeito foi ele vir até nossa casa.

E lá veio ele com seu riso maligno. Parou à nossa porta, bateu palmas e chamou por minha mãe. Minhas pernas enfraqueceram. Ele olhava para mim com um riso enviesado. Ela veio com as mãos sujas de coco e ele disse olhando para mim, se lambendo feito um satanás: "É hoje!", igualzinho ao meu primo. Havia algo de demoníaco nos olhos de seu Albino e acho que foi a primeira vez que desejei o mal a alguém, que ele se cortasse bem feio com a navalha. Ainda quis escapulir mas, àquela altura, a calçada estava cheia de gente para ver o espetáculo de meus cabelos caindo.

Quatro braços me sujigaram e, quando me dei conta, já estava em cima da tábua na cadeira de braços. Agora eu entendia: a tábua era para me dar altura. Esperneei inutilmente, era a segunda vez que me revoltava contra alguma coisa. Parecia tomado por uma força que não era minha. Se eu ficasse me sacudindo, o barbeiro não conseguiria cortar meus cabelos. Para meu ódio ser maior, tocava dobrado no rádio do vizinho. Eu gritava, gritava com toda a força dos meus pulmões, que não queria cortar os cabelos. A rua inteira acorreu para testemunhar minha desgraça. Todo mundo com um riso na cara. Eu não podia perdoar quem estava fazendo aquilo comigo. Seu Albino, com a máquina na mão, esperava só eu me aquietar para me deixar a zero. Uma quinta mão segurou minha nuca, e ele pôde então atar o avental em meu pescoço. Ouvi o treque da tesoura e o primeiro cacho rolou pelo meu ombro. Minha mãe, toda lesta, o apanhou com cuidado e o pôs dentro de uma caixa de linhas vazia. Pela segunda vez, tive consciência de que não adiantava lutar contra os adultos. Sempre sairiam ganhando. Aquietei-me.

O homem conseguiu cortar tranquilamente meu cabelo. Os cachos rolavam, minha mãe se abaixava e os colocava na caixa. Recolhi-me à resignação do choro engolido, a cabeça inclinada bem para baixo, o queixo encostado no peito. Comecei a sentir o vento passar livre por minhas orelhas. Os cachos mais espessos foram guardados e o resto foi varrido para a areia da rua. A única coisa boa foi quando ele espirrou no coco raspado uma água fresquinha para fazer o acabamento com a navalha. Para dar o trabalho por encerrado, encheu meus olhos com uma nuvem de talco para tirar os cabelinhos grudados no pescoço.

O desgraçado terminou o trabalho, tirou o avental, sacudiu, e ainda me deu um peteleco para tirar o selo. "Agora, sim, está parecendo um homem", ele falou. Passei a mão na cabeça e não conseguia me encontrar. Eu não era eu. Senti que era outra pessoa, como se fosse outra cabeça no meu corpo. Nada tinha a ver com o menino orgulhoso de seus cabelos louros. Acho que foi a partir daquele momento que perdi qualquer sombra de orgulho de mim mesmo. Passei a mão e vi que ele deixara só um tufo de cabelo no alto, o resto da cabeça bem lisa. Eu devia estar horrível. Não sabia como ia enfrentar o olhar dos outros. Não ia ter coragem de me olhar no espelho. Não iria me reconhecer.

As pessoas foram se dispersando e o barbeiro guardava os apetrechos na pasta quando uma súbita força me veio de dentro e fiz o que ninguém esperava. Vi num canto da calçada um capuco de milho. Apanhei e joguei com toda força na testa de seu João Albino. Estava vingado. Resultado: levei na mesma hora uns tabefes de minha mãe para aprender a ser educado. Ele abriu uma gargalhada e se foi, vitorioso, com sua pasta. Agora era aguentar as brincadeiras de todos os meninos que se achavam no direito de, ao passar por mim, me dar um peteleco na cabeça desprotegida.

Entrei em casa. Tinha uma penteadeira no corredor e, quando me olhei, tomei o maior susto. Meu primo ria atrás de mim. Só minha avó falou que tinha ficado bom, que cabelo era que nem capim, crescia rápido. E que eu estava até mais bonito. Só ela me compreendia. Era também muito calada. A toda hora eu passava a mão pela cabeça, como se pertencesse a outro, não a mim. Não chorei mais, intuí que o mundo era assim mesmo, que criança não tem gosto. O gosto era sempre dos grandes.

Mas a saga de meus cabelos ainda não tinha terminado. Na Sexta-Feira da Paixão, fomos todos para São Cristóvão, onde acontecia a procissão dos desvalidos. Nossa casa ficava nas Areias, a umas duas léguas de lá, por isso tivemos de sair bem cedinho para não pegar o sol que caía impiedoso desde cedo. Acordei com a sensação de não ter corpo, de não ter peso. Meus cabelos pareciam ter sido a parte mais pesada de mim. Ia ser difícil me acostumar sem eles. Saímos de madrugada, a pé, ninguém tinha dinheiro sobrando para pagar uma passagem de marinete. O único cavalo levava um cavaleiro com minha irmã pequena. Eu com uma vergonha louca de Mila, a prima bonita, de cara de santa. Ela não disse sim nem não, se tinha gostado de mim assim, sem os cachos. Era outra calada.

Chegamos a São Cristóvão já depois do meio-dia e fomos para a casa de dona Teté, minha madrinha. Quando me viu, se espantou, e eu só faltei sumir chão adentro. Ela me perguntou se eu estava de touquinha, só para fazer graça. Todos caíram na gargalhada. Se pelo menos me dessem um boné, mas eu não tinha coragem de pedir mais nada a minha mãe. O dia se passou entre chacotas por causa da minha "touquinha" e mais comida com coco. Eu queria vomitar. Achei que minha mãe não devia ter feito promessa para eu viver. Melhor seria estar morto, livre de tanta coisa ruim.

Veio o fim da tarde. A procissão ia começar e, sem eu menos esperar, minha mãe aparece com uma sacola e tira de dentro uma roupa roxa, mais feia não podia existir, igual à de Senhor Morto. Enfiou pela minha cabeça e passou um cordão grosso na cintura, cheio de nós, bem diferente da roupa de anjo com que sempre me vestiram para acompanhar Maria, nos cortejos de maio. Minha vontade era sumir de novo do mundo, morrer, quem sabe. Pensei: "Se meu pai estivesse aqui, ele não ia me deixar sair com esse chambre de mulher". Lembrando que não adiantava lutar contra os mais velhos, engoli tudo em silêncio. Todo mundo vinha me ver e tirar gracinha. Ainda diziam que, se eu ainda estivesse com os cabelos grandes, era uma menina, sem tirar nem pôr.

A procissão começou, eu e minha mãe, de pés descalços, ela toda de branco, uma fita azul no pescoço. Os cabelos, ela os soltara, e batiam na cintura, espessos e indomados. Também não os cortara desde o parto. Parecia uma assombração. Me deu para levar a caixa com meus cabelos. Quando saímos, bateram palmas. Eu não chorava.

Fomos lentamente, em meio a outras pessoas vestidas de roxo, crianças, velhos, adultos, alguns de joelho, outros quase se arrastando pelos paralelepípedos ainda quentes. O percurso não era grande, mas a procissão ia tão lentamente que o caminho parecia mais comprido que o do Mulungu, onde a gente ia ver o doutor quando ficava doente. Alguns carregavam braços e pernas de madeira, outros, coisas estranhas, como um tijolo, uma pedra, uma enxada. Cada um agradecia com o objeto que lhe tinha trazido felicidade. Não sei por que minha mãe levava um feixe de lenha na cabeça. Eu ia com os meus cabelos dentro da caixa, que, perto do que carregavam os outros, não era nada.

O momento culminante da procissão era o encontro do Cristo sangrando com Nossa Senhora. Não tinha quem não chorasse ao ver a mãe se encontrando com o filho todo lacerado, e o padre ainda berrava palavras atordoantes ao microfone. Foi o único momento em que esqueci minha tristeza. Cristo e Nossa Senhora pararam um diante do outro, trêmulos, ao balanço de quem os carregava. Depois partiram em direção à igreja dos milagres. O calçamento estava muito quente ainda, meus pés ardiam. Minha mãe ainda tentou andar o último trecho de joelhos, mas desistiu.

Enfim chegamos e nos dirigimos à ala dos ex-votos. As paredes cheias de coisas que eu não entendia. Havia até uma barriga de barro muito amarelo, que só descobri que era uma barriga por causa do umbigo e dos dois peitos. Minha mãe deixou o feixe de lenha num canto onde já havia outros e depois veio abrir minha caixa, de onde tirou dois cachos dos meus ex-cabelos amarrados com uma fita azul. Me ergueu e me fez pendurá-los num dos pregos da parede. Quando passamos pela pia de água-benta, molhou minha testa, ajoelhou-se, rezou e, ao se levantar, fez um carinho na minha cabeça pelada. Tinha os olhos molhados, acho que de suor. Voltamos para casa, onde a noite foi dormida em meio a um amontoado de gente, em rede, esteira e outros até no chão puro.

*

Mal eu sabia que meus cabelos cortados antecipavam minha terceira e última revolta. Os cabelos cortados eram a antecipação da perda definitiva de minha liberdade. Até então eu vivia despreocupado pela rua, ou agora pelo mato, onde fomos morar. Vivia caçando calango, lagartixa, pegando araticum ou araçá para comer. Meus cabelos cortados significavam também aquilo que todo menino criado livre mais temia: a escola.

Era uma escola no mato, uma sala improvisada na casa de tia Lena, aquela que presenciou a revolta da bola. Ficava num sítio da Jabutiana, onde fôramos morar depois da morte de meu pai num acidente de trem, o que me tirou qualquer esperança de ir embora. Lá sento eu numa carteira dura, desconfortável, ao lado de dois meninos suados e fedidos, um cheiro ruim de galinha depenada. Aliás, todos os meninos chegavam suados e fedorentos, moravam longe demais. Puseram na minha frente um abecê e me assustei com tanta letra. Como ia aprender aquilo tudo? Cada sinal tinha um jeito de dizer. E minha tia começou a ensinar. A gente tinha de identificar depois cada sinal no quadro-negro, que ela ia escrevendo fora de ordem, a seu gosto, e ai de quem errasse. Uma palmatória dormia sobre a mesa. Todo mundo repetia numa só ladainha o que ela soletrava: "ce" com "a", "ce-a-cá", "ce" com "e" não era "ce-e-qué", e "ce" com "u" ela dizia "ce-u-çu", para piorar tudo. Achei aquilo muito complicado, minha cabeça ainda errava pelos matos. Num momento em que ela se virou, eu fugi.

Subi numa mangueira, logo eu, que nunca fui dado a essas brincadeiras de subir em árvore, com medo de cair e quebrar um braço, como acontecera com meu irmão. Fiquei lá em cima. Achava que ninguém iria me encontrar. Se me desse fome, eu chupava manga. Minha tia não se deu conta da minha ausência, a sala atulhada de crianças de tamanhos variados, todas as séries misturadas. Só ao voltar do recreio foi que deram por minha falta. Todo mundo se alvoroçou. Ninguém sabia onde eu me socara. Tia Lena suspendeu a aula e se puseram a me procurar, eu bem no alto, escondido entre as folhagens, aquela movimentação toda lá embaixo por minha causa. Me senti importante, pela primeira vez. "Onde aquele menino se meteu, meu Deus!", eram as palavras de minha mãe. Achei ótimo que ela estivesse aflita. Nunca esqueceria a bola e os meus cabelos. E toquem a me procurar. Até no poço foram, com medo de que eu tivesse talvez caído dentro. Já havia gente até pela estrada me procurando.

Num certo momento, para sair de uma posição desconfortável, me remexi no galho e o ruído despertou minha avó que estava bem embaixo da mangueira lavando umas panelas em cima de um jirau. Olhou para cima: "Olhe ele ali, Bezinha!" Bezinha era minha mãe. "Desça daí, menino!", ela falou, toda ríspida. Comecei a chorar, pensando na surra que iria levar. Quem me salvou foi minha avó. Pelo jeito dela falar, eu desceria, mas quando sabia o que me esperava lá embaixo, minha vontade era subir cada vez mais alto, e se possível sumir depois do último galho, igual à bola de oxigênio que desaparecia no céu. Subi mais um pouco e agora já estava todo mundo embaixo gritando que a galho podia se quebrar. Um menino mais crescido começou a subir na mangueira, mas felizmente umas formigas pretas o atacaram e ele desceu se coçando todo. Isso já era mais de meio-dia e a fome começava a apertar. Foram precisos muitos rogos para que eu descesse. Minha avó fez minha mãe prometer que não me bateria. Era a única pessoa que compreendia minha vontade de solidão. O resto achava que eu era um menino cheio de capricho, vocação para bicho-do-mato, que tinha medo de gente. Vi que não havia outro jeito e fui descendo da mangueira, todo escabreado, um medo danado de passar perto de minha mãe, que cumpriu a promessa, felizmente.

Depois, foram meus cabelos crescendo, mas agora escuros, os cachos louros apenas uma lembrança na foto do lambe-lambe, em que minha mãe, ainda com alguma juventude, segura minha irmã no colo, e eu ao lado, olhando assustado para o mesmo ponto de fuga de meu irmão.

Antonio Carlos Mangueira Viana nasceu em Aracaju (SE), em 1944. Formado em Letras pela UFS, é mestre em Teoria Literária pela PUC-RS e doutor em Literatura Comparada pela Universidade de Nice (França). É autor dos seguintes livros de contos: *Brincar de manja* (Cátedra, 1974), *Em pleno castigo* (Hucitec, 1981), *O meio do mundo* (Libra & Libra, 1993), *O meio do mundo e outros contos* (antologia – Cia. das Letras, 1999), *Aberto está o inferno* (Cia. das Letras, 2004), *Redação com estilo* (Martins Fontes, no prelo) e coautor (coordenador) de *Roteiro de redação* (Scipione, 1997).

Ovo de Páscoa

Domingos Pellegrini

Foi no tempo em que os homens deixaram de usar chapéu, de um ano para outro deixaram de usar chapéu, mas o Nono continuou com os seus, o de palhinha para o calor do dia, o de feltro para o sereno da noite, e eu perguntei por que continuava a usar se todos os outros homens deixavam de usar chapéu. Os outros são os outros, ele respondeu:

— Os outros são os outros e eu sou eu.

Ele quer ser diferente de todo mundo, resmungou a Nona fazendo tricô com as longas agulhas de osso.

— Não é que eu quero ser diferente — ele falou. — É que não sou igual. Se fosse igual aos outros, teria casado com uma mulher que não dá palpite nas coisas do marido — e deu um beijo na testa dela, e ela se ajeitou na cadeira, que era seu jeito de mostrar que ficava sem jeito com os agrados dele.

Ela fazia tricô até lá pelas dez, então ia para a cozinha e, naquele dia, fez uns bifes empanados tão macios e gostosos que comi quatro, com o feijão caldoso e o arroz soltinho que só ela sabia fazer. Quando acabei, falei que era o bife mais gostoso que ela já tinha feito, e ela perguntou de que carne eu não gostava, falei que só de língua, aquela carne molenga e molhada.

— Pois esses bifes de hoje eram de língua, só que empanados — ela contou e eu fiquei tão bravo que saí da mesa, apesar do pudim de sobremesa.

Subi no abacateiro, onde numa forquilha eu tinha amarrado umas tábuas, e dei partida no avião, subi ao céu, desci no mar, pois era um hidroavião, e dele passei para o navio onde mandei disparar todos os canhões só para ouvir o barulho e ver os penachos de água levantando longe. Um dos tiros pegou o hidroavião, mas peguei um caça do navio, que era um porta-aviões, e voltei para o céu, onde outro caça me caçou mas saltei de paraquedas, caí na varanda onde o Nono cochilava na cadeira de balanço.

— Amanhã é domingo de Páscoa — ele falou de olhos fechados. — Vou matar o carneiro.

A Nona vinha com um pedaço de pudim num pires e me deu sem falar nada, então peguei sem falar nada, aí ela falou com o Nono:

— Você não devia falar o que vai fazer com o bicho. Nem devia ter deixado esse menino brincar com ele, pra não pegar amor. Se fosse um avô de juízo...

— É que eu sou diferente — ele sorria de olhos ainda fechados. — Sou um avô-criança.

Comi o pudim pensando no carneiro. Tão bonitinho, conforme as primas. Tão meigo, conforme a Nona. Tão fofo, conforme as tias. Tão magro, conforme o Nono, por isso tinha dado milho até o bicho engordar bem, agora estava no ponto, ele já tinha falado uns dias antes. Perguntei por que a gente não comia frango ou bife na Páscoa, como nos outros dias, e ele perguntou se eu tinha gostado do carneiro do Natal. Falei que sim, ele falou que tinha comprado já morto aquele carneiro, mas era igual o que estava lá no fundo do quintal.

— Você quer continuar criança ou virar homem? — me olhou. — Se quer virar homem, precisa saber que pra comer é preciso matar. Até a alface morre quando sai da terra, não sangra mas morre do mesmo jeito. Quem quiser viver sem matar tem que comer só vento.

A Nona voltou para pegar o pires, perguntou o que ele estava falando: matar o quê? Matar o tempo, ele disse, e ela engoliu porque estava começando a ficar surda. Ela voltou para o tricô e a novela em alto volume no rádio, naquele tempo o rádio tinha novelas, e ele inclinou para falar baixinho:

— Tá na idade de você ver como morre o carneiro. Quer ver amanhã cedinho?

Balancei a cabeça, ele voltou a fechar os olhos, e não fui mais brincar com o carneiro aquele dia, nem olhei mais para o fundo do quintal.

Tardezinha chegaram as primas, iam dormir também na casa dos Nonos, para de manhãzinha a gente procurar pela casa os ovos deixados pelo Coelho. A maior conseguia lembrar de cada lugar onde a gente tinha achado os ovos na Páscoa passada, a menor ouvia de boca aberta, até que perguntou:

— Onde o Coelho compra os ovos?

Naquele tempo ainda não existiam supermercados com varais formando túneis de ovos pendurados, eles eram comprados nas padarias, onde ficavam fora da vista das crianças, para a gente não desconfiar de alguma sociedade do padeiro com o Coelho. Então eu, que gostava de responder as perguntas da prima menor, tão bonitinha, fiquei sem saber o que falar, mas a prima maior falou:

— Não existe Coelho de Páscoa, boba! São os pais da gente que compram os ovos e escondem pela casa...

A prima menor ficou piscando de boca aberta, piscando, e começou a fazer cara de choro. Falei que era mentira, claro que era o Coelho quem trazia os ovos, e dei brinquedos para ela. Mas depois fiquei pensando, eu bem que desconfiava: como o Coelho podia saber quantos ovos entregar em cada casa se a gente não escrevia para ele como para o Papai Noel?

Era tão cedinho que a Nona ainda nem estava na cozinha, o Nono me chacoalhou, me ajudou a vestir e me levou para o quintal. O carneiro já estava morto, pendurado com cordas pelas patas num galho da goiabeira. Ele disse que tinha pensado melhor, eu ainda não estava na idade de ver o bicho morrer, mas já estava na idade de ver esfolar:

— E vou curtir o couro, assim o seu amigo carneiro vai ficar com você a vida inteira.

Com faca e canivete foi tirando o couro do meu amigo, que pendurado não me olhava com os olhos meigos, e sem a lã ia deixando de ser fofo, mostrando as carnes vermelhas. Uma bacia estava cheia de sangue, e rodeei o carneiro para ver que o sangue tinha saído por um buraco na garganta, era para o chouriço. Vi também um corte grande na barriga, já estava sem a barrigada e o Nono falou que já tinha enterrado, aí percebi porque estava suado quando me acordou.

Quando acabou de esfolar, a camisa empapada grudava no corpo e o sol batia no quintal. A Nona veio da casa pisando duro, me pegou pela mão sem falar nada, só olhou para ele como quem diz tudo, e me levou para o café. Quando voltei, o carneiro estava em pedaços num bacião, e a cabeça estava num saco, para um amigo do Nono que comia os miolos.

Ele perguntou se a Nona estava muito brava, falei que ela estava ocupada com o café para as meninas, ele pediu para ajudar a levar o bacião para a casa. Ele de um lado, eu do outro, levamos meu amigo em pedaços para ser temperado. Antes o Nono me passou na cabeça a mão vermelha e sebenta, dizendo que carneiro se tempera com sal e alho...

— ... e a cabeça se tempera com juízo.

Então perguntei se o Coelho não existia, e ele agachou me olhando bem nos olhos, falou que no tempo de menino dele não existiam ovos de chocolate:

— Eram ovos mesmo, de galinha, cozidos e com a casca pintada, e a gente achava muito bom. E, no Natal, presente era roupa e sapato, nada de brinquedo, e como as roupas já estavam todas cerzidas e os sapatos furados, a gente também achava muito bom. Não sei se era melhor do que hoje, sei é que você já passou do tempo de saber que não existe Coelho nem Papai Noel, quem compra seus presentes é sua mãe e...

A Nona tinha vindo pé ante pé, ouvindo tudo bem atrás dele, e lhe bateu na cabeça com a colher de pau.

— Monstro!

Que monstro, que nada, ele resmungou temperando o carneiro:

— Em família de muita mulher, menino pode virar boneca.

A prima maior também vivia só com a mãe, e era preciso esperar nossas mães e as tias acordarem para só então procurar os ovos. Então tomamos café com leite, com o pão que a Nona esquentava na frigideira para a manteiga derreter, e depois ficamos na varanda esperando as madames levantarem, como dizia o Nono. A prima menor se retorcia de vontade de procurar os ovos, mas eu disse que não tinha mais vontade e ela arregalou os olhos:

— Por quê?!

Falei que aquilo era coisa de criança, e a prima maior ficou me olhando. Fui ver o Nono queimar lenha no forno de barro atrás da casa, e ela foi junto. A lenha queimou, o Nono varreu as cinzas para fora, colocou carvão e, quando a prima menor chamou para procurar os ovos, dissemos que ela procurasse, continuamos olhando o braseiro pela boca do forno, e o Nono a enfiar as assadeiras com carneiro.

Da casa vinham gritos e palmas quando a prima menor achava um ovo. Depois ela apareceu com dois ovos grandes e um menor numa cesta, mostrou para nós e foi correndo para a cozinha mostrar à Nona.

— O pai dela não tem dinheiro pra ovo grande — falou a prima maior.

— Pois é — falou o Nono pingando suor. — Ela tem pai, mas vai ficar com o ovo menor. A vida é assim.

Fechou com uma folha de lata a boca do forno, e mesmo assim ficamos olhando. A prima menor voltou com a cesta, as tias atrás: depois das descobertas e depois do desfile dos ovos pela casa, era hora de cada um pegar o seu. Peguei o menor. As tias disseram que o menor era o dela, porque era menorzinha, mas eu falei que dava o meu ovo grande para ela, e as tias me beijaram, bateram palmas, e a prima menor, com o ovo nas mãos, me abraçou tão forte que amassou o ovo.

A prima maior me olhava, e o Nono agachou, passou a mão encarvoada na minha cabeça:

— O tempero pegou, né?

Depois ele foi se lavar no tanque, a prima maior perguntou se ele tinha me dado carneiro cru pra provar o tempero.

— Não — falei. — É outro tipo de tempero.

A prima menor já estava com o rosto lambuzado de chocolate, e a prima maior perguntou se eu não ia abrir o meu. Falei que depois, e ela abriu o dela dizendo que era só por causa dos bombons.

— Só curiosidade – falou com as sílabas bem pronunciadas como falavam as tias, então tentei falar baixo e grosso como falava o Nono:

— O meu é pequeno, nem bombom deve ter.

Tossi com a garganta arranhada, mas ela continuou me olhando. Uma das tias apareceu com máquina para fotografar, e, em vez de posar abraçado com o ovo como nos outros anos, sentei sobre ele no quintal, como se chocando, conforme uma tia, ou debochando, conforme outra, mas todos riram. Tá ficando diferente que nem o avô, disse a Nona. Tá é deixando de ser bobo, disse o Nono.

No almoço, a prima menor não quis comer do carneiro, lembrando do bichinho a quem tinha dado milho e carinho. A Nona tentou convencer:

— Come, menina, ele é como Jesus, que morreu para nos salvar.

— E é gostoso – disse o Nono.

— E o cacau também precisou morrer pra virar chocolate – falei e todos ficaram me olhando.

Esse menino é mesmo diferente, disse uma tia. Puxou o avô, disse a Nona. Não, ele é ele, disse o Nono. Tá só crescendo, disse minha mãe:

— Nem abriu o ovo ainda!

Mas à noitinha, trepado na goiabeira que pendurou o carneiro, abri o ovo e comi olhando o céu se alfinetar de estrelas. Bateram palmas no portão, fui correndo. Era o amigo do Nono, vindo pegar a cabeça do carneiro. Pega lá na geladeira, me falou o Nono sentado na varanda, e a Nona falou que era um absurdo, mandar uma criança fazer uma coisa daquelas!

— Ele morreu para nos salvar, Nona — falei e o Nono completou:

— Dos pés à cabeça.

A prima maior continuou me olhando quando entreguei o saco de pano ao homem, com a cabeça dentro, e a Nona falou que não sabia o que ia ser de mim, um menino tão diferente.

— Vai ser gente — disse o Nono.

— É louco — falou a prima maior. — Até choca ovo!

Mas eu não dei importância, voltei para o alto da goiabeira, cercado de estrelas, e falei para a brisa: — Vou ser astronauta.

A brisa concordou, decolando a nave, e, para ver outros mundos na escuridão do quintal ainda sem lua, fechei os olhos como o Nono na cadeira de balanço, sem desconfiar que minhas viagens, no futuro, continuariam a ser dentro desse ovo com buracos que chamamos cabeça.

***

Domingos Pellegrini é paranaense de Londrina, onde nasceu em 1949. Formado em Letras, trabalhou com publicidade e, como jornalista, foi repórter, redator e editor da *Folha de Londrina* e do *Jornal Panorama* (também de Londrina) entre 1968 e 1975. Ganhador dos prêmios Jabuti de 1977 (com seu livro de estreia, o volume de contos *O homem vermelho*) e de 2001 (com o romance *O caso da chácara chão*), é autor de uma extensa obra, que inclui títulos como *A última tropa*, *Água luminosa*, *As batalhas do castelo*, *O dia em que choveu cinza* e *Questão de honra* (todos pela Moderna). Atualmente, vive numa chácara nos arredores de sua cidade natal e colabora com diversos jornais.

Instantâneo

Ivan Angelo

Eu me lembro desse dia. Do ano, não. Quer dizer, não tenho certeza. Lembro de *como* foi o dia, não *qual* foi o dia. Este garoto aqui, ó, todo de branco, sou eu. Esse aqui é meu irmão. Estávamos muito ansiosos, era um dia especial.

Aniversário?

Acho que não. Na verdade, não sei. Se fosse, penso que me lembraria. Há tanta coisa para reparar numa foto antiga. Alguém poderia olhar e dizer: Ó quanta gente de branco. E apontaria: eu, meu irmão, de paletó e camisa brancos, a mulher que aparece pela metade ao lado dele, o homem atrás de nós, uma, duas, três, pelo menos três mulheres lá para trás, todos de branco. E alguém poderia concluir: as cidades eram mais limpas, o ar mais limpo, as pessoas.

É... até o chão.

Um passeador notaria: Como é largo esse passeio! Do meu lado esquerdo ainda não se vê o meio-fio e ó quanto espaço do outro lado, vai até aquelas pessoas olhando vitrines.

Na minha cidade a gente não diz calçada, diz passeio. Gosto desse jeito espanhol de dizer passeio em vez de calçada. Calçada fala de como a coisa é; passeio, fala do uso, é o lugar de passear. Tanta coisa diz uma foto, e tantas coisas ela silencia. Nós íamos pouco ao centro da cidade.

Não falta uma pedra nessa calçada. Reparou? Todo mundo de cabeça levantada, sem medo de tropeçar. E bem-arrumados, não? Engraçada essa farda do seu pai — é seu pai, não é? Esses botões todos. E esse chapéu!

É quepe o nome, não é chapéu. Era uniforme de rua, esse, de antes da guerra.

Olha esses bolsos, o tamanho desses bolsos!

A foto não fala do trabalho que dava passar a ferro essa roupa, não fala da nossa mãe nos arrumando para a gente sair assim, bonitinhos. Ela trazia essa túnica engomada para a tampa dos bolsos não revirar. Esses botões tinham atrás um pino furado e eram presos por dentro da túnica com argolas. Tirava para lavar, colocava tudo de volta depois de passar. Eu gostava de fazer isso.

Bota de cano longo... Um luxo.

Não é bota não, é perneira. É uma peça separada, de couro grosso, que se colocava por cima das botinas. Fechava atrás da perna com três fivelas. Reparou no brilho dos nossos sapatos, das botinas, das perneiras? Eu e meu irmão engraxamos tudo. Desde a manhã nos preparando para sair.

O dia especial.

É.

Não era perigoso sair de farda? Hoje ninguém sai, medo de bandido.

Que bandido! Tinha isso não. A guerra era lá na Europa. Tinha uma meia dúzia de ladrões de galinhas e outra de batedores de carteira. Perigo nenhum. Polícia Militar só servia para governador fazer pose de poderoso e para acabar com quebra-quebra de bonde, de ônibus, de cinema, de padaria.

Padaria?

É... Os italianos e os brasileiros se matavam na guerra na Itália, e o povo descontava aqui dando pau nos italianos das padarias. O rádio é que atiçava. As casas de ferragens dos alemães também levavam pedrada. Menino lourinho chamavam de alemão, era insulto.

Então essa foto foi feita antes do fim da guerra?

Foi, foi. Antes da volta dos pracinhas.

Os da guerra.

É. A volta deles marcou muito. Por isso que eu sei que essa nossa saída aconteceu antes. Eles tinham o maior orgulho de andar fardados para todo lado.

Os de agora, não.

Também, com as barbaridades que andaram fazendo... As mulheres gostavam de homens fardados, podia ser casado, noivo, davam em cima.

Davam em cima do seu pai?

Sei lá. A gente não tinha olho para essas coisas. Quem sabe no que os meninos reparam? Na foto, cada um olha para um lado. O que veem? Meu pai olha para a câmera. Nem vi o fotógrafo. Chamava-se instantâneo esse tipo de fotografia. A pessoa ia andando na rua, com uma namorada, amigos, esposa, e quando menos esperava, clic, tiravam uma foto.

Se fosse amante...

Clic. Nesse dia, se o fotógrafo tivesse batido a foto quinze segundos depois teria pego a tesourada.

Tem crime nessa história?

Quase. Vai escutando. Segundos depois, esta cena tranquila virou uma gritaria, correria. Instantâneo era assim: um fotógrafo ficava na rua fotografando as pessoas, de surpresa ou não, e vendia para quem quisesse. Dava um papel com um número, a pessoa retirava a foto depois, se quisesse. A maioria jogava o papel fora. Hoje não tem mais isso, não sei por quê. Era divertido. Nós achamos hoje que nosso pai era durão, mas não devia ser. Esse gesto de comprar a foto foi amoroso, eu vejo assim, uma foto com os dois filhos mais velhos. Não existe outra foto dele com filho — e teve oito. Olha o gesto dele, as mãos protetoras nos ombros de nós dois, quase um carinho da mão esquerda no meu queixo.

Depois que a gente perde é que vê certas coisas.

É. Morreu novo, ele. Relativamente novo.

Você ainda não contou por que o dia era especial. Alguma coisa que ver com o quase-crime?

Nada. Aquele dia amanheceu especial. Reparou nesse conjuntinho branco que estou usando na foto? Parece mais infantil do que o menino, não parece?

Agora que você falou...

É a roupa da minha primeira comunhão.

Que memória.

Marcou. Esse dia foi uma passagem. Crescimento. A gente crescia por inaugurações. Primeira comunhão, primeiro ano de escola, primeiro braço quebrado, primeiro diploma. Nesse dia, fomos comprar o meu primeiro terninho.

Era isso?

Acha pouco? Meu irmão não lembro o que ele ia ganhar. Precisava ver a ansiedade da gente, desde que amanheceu. Mamãe passou nossa roupa, engraxamos os sapatos, tomamos banho, ficamos quietinhos para não cometer nenhum erro que resultasse em castigo de não sair.

– Parece que não se ganhava muita roupa na sua casa.

– Ganhava nada, mamãe que fazia. Terno ela não sabia fazer. O resto fazia. Essa branquinha aí, de brim, ela que fez. Olha, a manga já está meio curta, a do meu irmão também. As calças... A gente tinha dificuldade de dinheiro. Na época eu nem reparava, hoje eu sei que era isso. Estamos sem meias, está vendo? Não tínhamos.

– É. Se tivessem estariam usando, num dia tão importante.

– Claro. Tudo era pouco em casa, e não por causa da guerra. Nem percebíamos, todo mundo era igual. Não havia televisão, e daí não se conhecia a vida dos ricos. Todo mundo andava de bonde, igual a nós, ninguém tinha carro, roupas diferentes, brinquedos importados, escola particular. A vida dos outros não humilhava, não dava inveja.

– Pouca diferença.

– Pouca. Então, ganhar um terninho novo, de loja, era um acontecimento, entendeu? Eu torcia para nada dar errado. Uma ansiedade!

– Como, dar errado?

– Ah, adiar, ficar para outro dia. Já tinha acontecido. Estava tudo marcado e aí teve um comício a favor dos comunistas e meu pai teve de ficar de prontidão no quartel. Não podia sair. Os getulistas queriam que Getúlio continuasse no governo, os comunistas queriam que ele saísse, que desse anistia geral. No dia do comício, eles gritavam pelas ruas, de alto-falante, e aí tinha o perigo de quebra-quebra e não pudemos ir.

– Pelo clima já seria o ano de 45.

– Pode ser. Começo. Sabe de uma coisa: acho que meu irmão também ia ganhar um terno. Casa Guanabara.

Chique?

A melhor da cidade. O dele eu penso que ia ser de calça comprida. Ele é mais velho, quase três anos.

Na foto não parece, nem na altura.

Mas é.

E ganharam o terno?

Ganhamos! Quer dizer: eu lembro que o meu foi um terno. O primeiro! Um terno inesquecível, bem assentado no corpo, de um tecido grosso, mesclado pintadinho, preto com branco, que se chamava tuíde, *tweed*. Inglês. O estilo também era inglês, paletó de três bolsos costurados por fora, não embutidos; um bolso em cima, do lado esquerdo, pequeno, depois um de cada lado, todos com uma pinça no meio para poder inchar e caber mais coisas. Nas costas, tinha uma pala na cintura, parecendo um cinto, para ficar bem ajustado, dar aquele caimento, e duas pinças compridas de cada lado, da omoplata até essa pala, para facilitar os movimentos dos ombros e dos braços. Uma graça. Por dentro, tinha forro e bolso, um luxo. Fechava com três botões pretos e tinha de usar com camisa branca, colarinho dobrado por cima da gola do paletó. Eu amava aquele terninho! A calça era mais comprida do que essa branquinha aqui, uns cinco dedos acima do joelho, e tinha bainha larga para ajustar conforme eu fosse crescendo.

Detalhes...

Até da prova eu me lembro. As mangas do paletó ficaram compridas, mas eu queria levar assim mesmo, para ele já ser meu. O vendedor teve de insistir que daquele jeito não dava. Ah! Agora tenho certeza: meu irmão ganhou foi uma calça comprida, que também ficou lá para acertos. A primeira dele.

Também foi promovido.

— É. Os homens escondiam as pernas quando ficavam feias. As mulheres, quando ficavam bonitas.

— A foto foi tirada antes ou depois da compra?

— Antes, claro. Lembra do poema de Carlos Drummond de Andrade, "Morte de Neco Andrade"?

— Lembro: "Quando mataram Neco Andrade, não pude sentir bastante emoção porque tinha de representar no teatrinho de amadores,"...

— ... "e essa responsabilidade comprimia tudo".

— Tem a ver?

— Tudo. Está vendo essa mulher de costas, logo atrás do meu pai, dando a mão para o homem de branco, de perfil? Eu vinha olhando para o outro lado, não a vi. Meu irmão, não sei se viu. Meu pai estava olhando para a máquina, parece que já ia tirando a mão do ombro do meu irmão para pegar o papel do fotógrafo. Essa mulher era a diretora da escola, do nosso grupo escolar. Linda, linda. Ali na rua, de mão dada com um homem e eu não vi.

— Casada? Era o marido dela?

— Vai escutando. Se eu estava no segundo ano, ou para começar o terceiro, meu irmão já deveria ter terminado o quarto. Ela era tão linda que os meninos do grupo, meninos e meninas, a viam como uma santa de altar, cabelos escuros e olhos azuis. Azuizinhos, cor do céu.

— Diferente...

— Única. Isabel, o nome dela, dona Isabel. No dia 13 de maio sempre havia uma representação da Abolição da Escravatura, era assim que chamavam a libertação dos escravos. Ela fazia o papel da princesa Isabel, de coroa e manto, só ela de adulta, e o resto, inclusive D. Pedro II, José do Patrocínio eram alunos, e quando ela assinava a Lei Áurea a gente cantava para ela o hino "Salve, ó Isabel, salve a redentora" — cantávamos para ela, não para a princesa. Acho que ela adorava aquilo, aquela apoteose.

Com certeza.

Então era um mito, uma santa de altar. Aí, daqui do meu lado da fotografia, dessa direção para onde eu estou olhando, veio vindo uma mulher alucinada, quase correndo, resmungando entre os dentes, "Vagabunda!", e quando passou por mim já tinha tirado uma tesoura comprida da bolsa e foi aumentando a voz, "Vagabunda!", e eu fui virando para ver o que era aquilo, e ela puxou o braço dessa mulher que está de mão dada com o homem, gritando "Eu mato essa vagabunda!", e quando ela puxou, a roupa da mulher parece que rasgou, enquanto ela se virava, o sutiã branco ficou aparecendo, e aí eu vi que era ela, dona Isabel — o susto que eu levei! —, a cara dela de apavorada, e a mulher enfiou a tesoura nela! Aqui, ó, perto do ombro. Aí foi uma gritaria, correria, juntou gente, não deu para ver mais nada, nós éramos pequenos, mas ainda deu para ouvir coisas como "rameira" e "dando não sei o quê pro meu marido". Meu pai encostou a gente na vitrine, falou para não sairmos dali e foi tomar conta da situação. O tempo inteiro que ficamos ali encostados, sabe no quê que eu pensava?

No sutiã.

No meu terninho! Apavorado com a possibilidade de o meu pai ficar enrolado naquilo e não poder comprar o meu terninho. Como custaram a passar aqueles dez, quinze minutos! Nem conversei com meu irmão sobre a tesourada, nem perguntei se ele viu que era dona Isabel. O mito desabava, a santa virava rameira, a princesa rolava na lama e eu nem me tocava, não sentia nada, a emoção comprimida pelo terninho de repente incerto. Com alívio, vi meu pai emergir do tumulto, dizer que um guarda-civil já estava lá, podíamos ir.

E depois, como que foi na escola? A diretora...?

Nada mudou. Ela parecia a mesma. Para mim não era. Nunca contei na escola o que tinha visto. Ficou sendo uma coisa que eu tinha e os outros meninos não. Também nunca mais participei da encenação do 13 de maio.

Natural de Barbacena (MG), onde nasceu em 1936, Ivan Angelo começou sua carreira de escritor na revista *Complemento*, de Belo Horizonte, nos anos 1950. Seu romance *A festa* (iniciado em 1963, mas só publicado em 1976) é um marco da literatura produzida sob o período mais repressivo do regime militar. Seguem-se os livros de contos *A casa de vidro* (1979) e *A face horrível* (1986). Paralelamente, manteve intensa atividade como cronista de diversos jornais e revistas. Atualmente, é colaborador da revista *Veja SP*.

ARQUIVO DA AUTORA

Em família

Jane Tutikian

Naquela minha rua pobre, de casas amarelas coladas umas às outras, onde, além dos moradores, só passavam o padeiro que, na madrugada, jogava o pão pelas janelas abertas, e a carroça do verdureiro, que fiava um balaio cheio até o dia do pagamento, naquela minha rua, tudo era dividido. Dividia-se a comida, dividia-se a roupa, dividia-se a vida que ia e vinha como telefone sem fio pelas conversas das comadres, ora pelos fundos, de tanque para tanque, através da cerca dos quintais, ora pela frente, quando sentavam com seus intermináveis tricôs, depois do almoço, na porta das casas.

As mulheres *de baixo*, do início da rua, não cansavam de falar mal das *de cima*, fosse por uma panela mal-areada, fosse por uma roupa mais encardida; as *de cima*, elas não deixavam por menos.

Havia, entretanto, duas ocasiões em que se uniam: quando o assunto era saúde ou para falar mal da moça do 85. Sempre que havia alguém doente, dona Glória, metade gente, metade bruxa, era chamada e fazia suas rezas cozendo trapinhos, e a casinha de madeira da Nossa Senhora de Fátima passava de casa em casa para o terço. Todas rezavam, todas davam palpites e faziam mil chás, de alho, de cebola, de marcela, de. Todos queriam ajudar. Mas. A moça do 85, loira, bonita, de lábios vermelhos, perfumada e bem-arrumada era o perigo real: a desquitada. Ninguém dizia a Shirley. Todos, homens e mulheres, diziam baixinho, com olhos de crítica e segredo: a desquitada.

Nós, crianças, indiferentes àqueles assuntos, brincávamos e brigávamos sob o olhar vigilante das mães, gordas e esparramadas, até a hora da Ave-Maria, anunciada no rádio de madeira de olho verde, era a hora do banho, da janta e da cama.

Éramos felizes a nosso modo, mas. Felizes. Subíamos a rua em cavalos de madeira com nossas filhas de pano e éramos reis e rainhas; descíamos soldados de chapéu de jornal e espingarda de galho de árvore ou bombeiros de fogos imaginários. Subíamos a selva, descíamos abismos. Subíamos mentiras que fazíamos tão verdades que vez que outra alguém chorava de medo de monstros esverdeados. Era sempre a Maria da Graça, uma menina delicada e frágil, de cabelos longos, cacheados, um anjo, diziam os adultos, uma mandona, dizíamos nós. Era sempre ela a determinar a brincadeira e o que seríamos. E, quando brincávamos de ser, eu tinha que ser minha mãe e sentava num canto, calada, costurando costurando costurando. Meu irmão grande tinha que ser meu pai e, guardando o trânsito, ficava apitando apitos surdos para carros invisíveis. Mas. Ela era sempre a Shirley e trocava de roupa mil vezes e pegava o sapato alto da tia e caminhava rebolando para lá e para cá e viajava de avião e fazia tudo muito mais bonito do que tudo era.

Quando pulávamos corda ou jogávamos bola, ela tinha sempre que ganhar, ou recolhia a corda e guardava a bola ou chorava e todo o mundo corria para socorrê-la.

Nossas brigas eram pequenas, feitas de um eu não brinco nunca mais e de um emburro longo — que o nunca mais, não importa quanto dure, nunca mais é para sempre — sempre traz.

A não ser as brigas com o Henrique. Estas eram sérias: eram com o meu irmão grande. O Henrique vivia implicando, cuspia, jogava nele as penas que a dona Sila arrancava das galinhas e eu, meio menino, de cabelos curtos e pés descalços, vingava meu irmão, batendo nele. O final era sempre o mesmo: dona Sila fazia queixa para a minha mãe e eu apanhava, mas.

No outro dia, tudo recomeçava, com o pão invadindo o quarto, com a carroça do verdureiro ocupando todo o meio da rua, com os homens indo para o trabalho e as mulheres, depois do almoço, nas portas, tricotando o tempo, enquanto minha mãe bordava meu vestido de bailarina, e nós brincávamos.

Não naquele dia do outro dia, porque foi, então, que aconteceu: loira, bonita, de lábios vermelhos, perfumada e bem-arrumada, a desquitada vinha subindo a rua devagar, com uma caixa de sapatos cheia de furos embaixo do braço e, de repente, veio em nossa direção, sorrindo, como se quisesse, enfim, quisesse uma trégua para ser parte da rua. A gente estava caminhando em pés de lata e tudo, mas parou quando ela disse vejam o que eu trouxe para vocês e colocou a caixa no chão e abriu a caixa e dela saiu um gatinho preto, de olhos verdes, que caminhava e nem era de dar corda nem nada!

Foi um nervosismo geral, nós ríamos de nada, o Henrique ria e gritava e botava o dedo no nariz, a Maria da Graça só dizia que fofinho!, meu irmão grande passava a mão nele com cuidado, eu só pensava, aflita, que o queria pra mim, o Celso e o Jorge, no chão, juntavam as pontas dos pés, fazendo uma cerca para que ele não passasse. Era pequenininho, plumoso, faceiro, miador. Eu quero, eu disse, com uma montanha-russa atravessando meu estômago e uma vontade louca de fazer xixi. Ah! Dá pra mim, miou a Maria da Graça, fazendo beiço e olhos pedinchões. Eu também quero!, bradaram meu irmão grande, o Celso e o Jorge. Ninguém nunca tinha tido bicho na nossa rua, talvez porque fosse uma boca a mais, talvez um trabalho a mais, talvez.

A Shirley ficou sem saber o que fazer e as mulheres foram se aproximando. Umas, como a minha mãe, foram logo dizendo que não queriam animal em casa, outras, ficaram enternecidas com a beleza do bichinho, mas mantiveram-se firmes, porque ele vinha de quem vinha, não podia ser boa coisa. Nós? Começamos a chorar e a bater com o pé no chão, mas eu quero! eu quero! eu quero! E a noite nos encontraria assim, quase roucos de tanto choro, se não fosse a bruxa ter abandonado o seu castelo.

Dona Glória veio se chegando de mansinho, com os pés arrastados, com sua velhice feia e quebrada, com sua cor marrom e seu cheiro de defumação, e disse que era coisa do destino, se ele estava ali, é porque tinha que estar, e que ter um gato preto é sempre muito bom contra todos os azares e deu o veredicto: tem que ficar.

Algumas mulheres concordaram logo, outras, como a minha mãe, ficaram em silêncio, pensativas. Acho que porque a minha mãe não acreditava em destino, ela sempre achou que a vida a gente faz e a gente leva do jeito que pode fazer, do jeito que dá para levar e um pouco mais.

Ele fica, disse a dona Glória, e embora tivéssemos muito medo dela e das maçãs e dos bolos que vez que outra nos oferecia, agradecemos. Mas. Então, o problema era outro, Maria da Graça, meu irmão grande, o Henrique, o Celso, o Jorge e eu nos pegaríamos aos tapas, se fosse preciso, cada um queria o gatinho para si. Maria da Graça até deu um nome horrível para ele: Mimi.

A Shirley pensou em sortear, cada um pensa num número, mas a dona Glória disse somos uma grande família e dividimos o que temos. O gato é de todos. Ah! Não!!!!!!!! Lamentamos, contrariados. E ela continuou: fica uma semana em cada casa. Meu irmão grande disse baixinho que na nossa casa ele ia se chamar Zorro, eu gostei.

Como não podia ser diferente, nos primeiros dias, ele ficou com a Maria da Graça, que se exibia contando coisas que ele fazia e muito mais inventadas, e não nos deixava vê-lo nem nada.

O Mimi-Biriba-Preto-D. Pedro-Zorro demorou muito para chegar à nossa casa e, embora a reticência da minha mãe, pedalando naquela máquina de costuras nossas roupas de carnaval e, embora a recomendação do meu pai de que não o deixássemos brincar com o cordão do apito de guarda de trânsito, fomos descobrindo, meu irmão grande e eu, o amor de amar um ser vivo. Ele era tão nosso e nós tão dele que não podia haver no mundo coisa maior do que essa! Respirávamos o gato, beijávamos o gato, apertávamos o gato, protegíamos o gato dos exageros do nosso próprio amor. E ele respondia com cabeçadas leves nas nossas pernas, com um ronco e com os olhos verdes fechados, com miados delicados e alegres. E quando tomava banho com sua língua longa e áspera ou se coçava, nos divertia, e quando dormia, caminhávamos na ponta dos pés para não acordá-lo.

Meu irmão grande e eu decidimos que nunca mais o devolveríamos. Pensamos que podíamos escondê-lo no quintal e dizer que havia fugido. Pensamos que podíamos mantê-lo numa caixa de sapato, embaixo do beliche e ninguém acharia. Pensamos que podíamos fugir com ele, pelo mundo, e seria só nosso. Que amor, quando é grande demais, às vezes, se faz assim, quer mais e mais e mais e só para si.

Mas.

Por mais que pensássemos, tínhamos que passar o Zorro adiante, nosso tempo estava acabando, era a vez da Maria da Graça, de novo, e, depois, vendo meu emburro, meu irmão grande disse que ele voltaria outras vezes e bem depressa. Tentamos contar os dias nas mãos e não conseguimos.

A casa esvaziou quando o Zorro foi levado:

Não!

O mundo esvaziou:

O universo esvaziou:

Tentando nos animar, minha mãe falou no baile de carnaval e disse que eu seria a bailarina mais linda do mundo e que meu irmão grande seria o palhaço mais bonito do mundo, que seríamos os mais bonitos do baile, mas isso nem importava, nem nada, nem sabíamos mesmo exatamente do que ela estava falando! Importava o Zorro.

Bom. Também não é assim! Eu, que andava sempre suja e de pés descalços e correndo atrás do Henrique, queria, sim, alguma vez, ser bailarina, princesa, rainha, Rapunzel e jogar as tranças. Pensava nisso, no que queria, olhando o brilho das lantejoulas da minha roupa, quando chegaram os gritos.

Vinham da casa da Maria da Graça. Ela gritava é só meu! É só meu! E a tia dela gritava não! Meu Deus! Não! E a minha mãe correu e as mulheres todas da rua correram e chamaram a dona Glória e trataram de afastar as crianças. A Maria da Graça tinha uma faca na mão e estava toda suja de vermelho.

Minha mãe nos botou para dentro de casa. Preparou uma bacia grande de água morna e nos deu um banho. Agora, éramos uma bailarina e um palhaço assustados, cheios de talco no pescoço.

Devagar, descemos a rua de mãos dadas com a minha mãe e com o meu pai. A movimentação toda tinha terminado, mas o silêncio aquele era um silêncio diferente, cheio de murmúrios que vinham de trás das portas, da borda dos tanques.

Lá embaixo, no clube, as crianças já estavam pulando, no meio de um salão barulhento e colorido, onde uma corneta desafinada insistia em tocar *Mamãe eu quero*. Subimos numa mesa. Não tinha graça. Nada tinha graça. Minha mãe estava calada. Meu pai, preocupado, volta e meia passava a mão nos seus cabelos. Ela só resolveu falar quando chegaram o Celso, o Jorge e o Henrique, três piratas alegres de um olho só.

No meio da música, ela disse, de um modo estranho, com a cabeça encostada no ombro do meu pai:

— O Zorro foi embora, virou anjo.

— Quando ele volta?, eu perguntei.

— Ele não volta, foi para sempre, ela respondeu emocionada.

Fiquei surpresa, era a minha primeira perda e eu ainda nem tinha descoberto que se podia perder o que fosse feito só de amor, não assim: pequenininho, plumoso, faceiro, miador, e chorei. Meu irmão grande colocou a mão sobre o meu ombro e não disse nada.

Minha mãe sabia que, no dia seguinte, a rua voltaria ao normal com o pão voando pela janela, o verdureiro ocupando até a calçada, dona Glória invocando seus santos e nossos medos, nós todos dividindo a vida e, daquilo, ninguém nunca mais falaria, a não ser pela desquitada que, talvez, não tivesse outra chance de aproximação. Não. Definitivamente, daquilo, ninguém mais falaria, apenas os olhos tristes e mudos do meu irmão.

***

Jane Tutikian nasceu em Porto Alegre (RS), onde reside. Doutora em Literatura Comparada (UFRGS), com Pós-Doutoramento (PUC-RS) em literaturas lusófonas, atua, na UFRGS, como professora de literatura na graduação e na pós-graduação. Ganhou importantes prêmios literários como: Jabuti (1984); Gralha Azul de Literatura Brasileira (1994); Alejandro Jose Cabassa União Brasileira de Escritores (2002); Livro do Ano – categoria conto – Associação Gaúcha de Escritores (2003); Livro do Ano – categoria infantojuvenil – Associação Gaúcha de Escritores (2004), entre outros. Participou de várias antologias no país e no exterior. Publicou 14 livros individuais, entre novelas, contos e novelas infantojuvenis. Entre eles: *A cor do azul* (juvenil), 23ª ed., 1984; *Um time muito especial* (juvenil),13ª ed., 1993; *A rua dos secretos amores* (contos), 2ª ed., 2002; *Entre mulheres* (contos), 2005, e *Olhos azuis coração vermelho* (juvenil), 2005.

O da foto e o outro

Luis Fernando Verissimo

— E este?
— Sou eu.
— Não é.
— Claro que sim.
— Não pode.
— Sou eu sim. Por que "não pode"?
— Magrinho assim?
— Eu era magrinho.
— Não pode.
— Nessa foto eu tinha, deixa ver. Cinco anos. Seis. Sou eu sim.
— Mas não tem nada a ver com o que você é hoje!
— Porque o que eu sou hoje é esse da foto mais quarenta anos. Você não está fazendo a conversão visual. Põe quarenta anos nesse da foto.
— Mas não. Espera um pouquinho. Mesmo quando envelhece a pessoa fica com os traços que tinha antes. Alguma coisa fica. Um jeito no olhar. O nariz, por exemplo. O nariz da foto não é o seu.
— É o meu com quarenta anos a mais.

— Não, não. Um nariz como esse da foto evoluiria de outro jeito.

— Pensa no que acontece com o nariz da gente em quarenta anos. Ninguém tem o nariz que tinha com cinco ou seis anos. Seria o mesmo que ter as mesmas ideias.

— Mas dizem que com seis anos a personalidade da pessoa já está definida. Tudo que ela vai ser depois já está pronto aos cinco anos. Tudo que ela vai pensar também. A personalidade já está lá. Personalidade e destino. Se a pessoa vai ser um assassino, ou um numismata, já está na foto dos cinco anos. Com o nariz é a mesma coisa.

— Ah, é? E se a pessoa quebra o nariz?

— O quê?

— A pessoa quebra o nariz. Interrompe a sua evolução natural.

— Quebra como?

— Sei lá. Quebra. Leva um soco. Dá com a cara numa porta. Não interessa.

— Você alguma vez quebrou o nariz?

— Eu? Não.

— Então que argumento é esse? Pô!

— Só estou dizendo que a sua tese que o nariz não muda é furada.

— Não, não, não. Não, não, não, não, não. A minha tese é que ninguém muda tão radicalmente em quarenta anos a ponto de ficar com outro nariz. Não um nariz modificado pelo tempo. Outra categoria de nariz, outro modelo. Em suma: minha tese é que esse da foto não é você.

— Pois eu vou arrasar você. Sei exatamente quando e onde essa foto foi tirada. Aniversário da minha prima Sula. Jardim da casa da tia Gabina. Posso até te dizer que árvore é essa, porque o que eu mais gostava na vida era subir nessa árvore. Você está pronto? Goiabeira! E agora? Sei até que a árvore era uma goiabeira.

— A árvore pode ser uma goiabeira, embora só pelo tronco não dê para ver. A goiabeira pode ser a da sua tia Gabina. A ocasião pode muito bem ser o aniversário da sua prima Sula. Mas esse da foto não é você.

— Está bem. Você ganhou. É um impostor.

— Não sei. Você eu sei que não é. Não com esse nariz.

— Não, você tem razão. É um impostor. Alguém que se meteu na minha biografia e tirou essa foto em meu lugar no aniversário da minha prima Sula. É uma explicação perfeitamente razoável para o nariz diferente. O nariz é de outro.

— Ou então o impostor é você.

— Eu?

— Claro. Você é que se meteu na biografia desse da foto, assumiu suas lembranças, inclusive a da goiabeira da tia Gabina em que ele gostava de subir, e viveu a vida dele até agora. Quarenta anos de impostura, denunciados por uma foto.

— E por um nariz que não combinava. Perfeito.

— Tudo explicado.

— Só me diz uma coisa... Que fim levou esse da foto?

— Você é que deve saber. O que você fez com ele?

— Sei lá. Sumi com ele e tomei o seu lugar?

— Provavelmente. E esta outra foto, quem é?

— Eu, na minha formatura. Ou era ele?

— Não. Aí já era você. Olha o nariz.

***

Luis Fernando Verissimo, nascido em Porto Alegre (RS), residiu muitos anos nos Estados Unidos, tendo estudado na *Roosevelt High School*, de Washington. Iniciou sua carreira literária no jornal *Zero Hora*, de Porto Alegre, assinando uma coluna de crônicas. Seu primeiro livro foi publicado em 1973, *O popular*, a que se seguiram os bem-sucedidos *A grande mulher nua*, *Amor brasileiro*, *A mãe de Freud*, *A mesa voadora* e *A mulher do Silva*, entre outros. É criador de personagens marcantes da vida brasileira das últimas décadas do século XX, como o detetive Ed Mort, o Analista de Bagé e a Velhinha de Taubaté, todos eles protagonistas dos livros que levam seu nome. Cartunista hábil, criou *As cobras* e *As aventuras da família Brasil*, em que satiriza o cotidiano respectivamente da vida política e da vida doméstica nacional. Trabalhou por algum tempo como roteirista da TV Globo, redigindo quadros para o *Planeta dos Homens* e para a série *Comédias da vida privada*.

ARQUIVO DO AUTOR

Era aqui

Luiz Vilela

— Era aqui — disse ele, detendo-se na entrada da praça.

Ela balançou a cabeça em silêncio, um silêncio quase reverente — mas, é claro, nada viu do que ele parecia estar vendo àquela hora em sua memória. Viu as árvores, os canteiros, os bancos da praça, como antes tinha visto as ruas, as casas e os edifícios. Estes, comparados com os da capital, onde moravam e onde ela nascera, não eram quase nada; mas, para uma cidade do interior como aquela, já eram muitos.

— Era aqui — ele tornou a dizer, num tom mais baixo e reflexivo, como se desta vez estivesse falando não propriamente para ela mas para si mesmo.

Adentrou então a alameda, e os dois foram, de braços dados, até o grande círculo central — quando ele novamente parou.

— Um gol era lá, naquela ponta — mostrou, apontando com o dedo, de maneira tão incisiva, que o gol parecia ainda estar ali, no mesmo lugar, depois de todos aqueles anos.

Ficou um instante a observar o lado oposto da praça, próximo de onde estavam.

— O outro, o outro gol, era ali, perto daquela árvore, aquela árvore maior, aquela sibipiruna.

— Sibipiruna?

— É; é o nome da árvore.

— Você conhece tudo, hem amor?...

Ele riu.

— Conheço algumas coisas — disse. — Árvores eu conheço bem.

— Eu conheço bichos — ela disse. — Quer dizer, alguns...

— Era ali, o gol — ele voltou a dizer.

— E as arquibancadas? — ela perguntou.

— Arquibancadas?... Não, não havia arquibancadas... Nem arqui, nem bancadas, nem nada... Não havia nada...

— Mas, então, onde as pessoas sentavam?

— As pessoas?

Ele demorou um pouco a responder.

— As pessoas não sentavam — disse. — As pessoas ficavam em pé. Ou então agachadas.

— Era assim?

— Era, era assim. Mas, também... Era pouca gente: alguns amigos, curiosos, familiares... A cidade era muito pequena...

Parou diante de um banco:

— Por falar em sentar, vamos sentar um pouco?

— Vamos.

Eles sentaram-se.

Era fim de tarde, pouco mais de seis horas; o comércio já havia fechado, e a maioria das pessoas ido para casa. A praça estava tranquila, quase deserta. Um sabiá, escondido na folhagem de uma árvore, emitia, a intervalos, o seu canto, sempre igual e sempre belo.

Pensou em perguntar se ela sabia que pássaro era aquele — para testar o seu conhecimento de bichos. Mas, por delicadeza, temendo que ela não fosse saber, não perguntou.

— Não havia nada — ele continuou. — Nem arquibancadas, nem muros... Só havia o espaço, o espaço e os dois gols. E, no entanto...

— E gramado? — ela o interrompeu.

— Gramado? Não, também não havia; era terra, pura terra. Quando ventava, você não imagina a poeira que fazia... Era cada redemoinho!...

— É?...

— Ele começava lá, naquela ponta. Por que ele só começava lá, eu não sei. Talvez não fosse assim na realidade, mas foi assim que ficou na minha memória. Ele começava lá. Aí vinha, rodopiando, e quando chegava aqui, no meio, subia e se desfazia no ar. E aí a gente via umas folhinhas secas de árvore ou pedaços de papel despencando...

— Parece até que eu também estou vendo...

69

— Pois é... Agora, os gols... Eu esqueci de dizer: os gols não tinham rede, eram só as traves e o travessão. Quando alguém marcava um gol, o goleiro, além de sofrer por isso, ainda tinha de buscar a bola, que às vezes ia parar lá, no meio da rua... Mas, também, naquele tempo havia poucos carros, a rua quase não oferecia perigo...

Ela encostou a cabeça no ombro dele.

— Era aqui — ele disse, — era para aqui que o menino vinha quase toda tarde. Ele punha o calção, o gorro, pendurava o par de chuteiras no ombro, e vinha. Aqui ele se encontrava com os companheiros e aqui ele corria, chutava, gritava...

Ela o escutava em silêncio.

— Era bom... — ele disse.

Ela fez um ligeiro murmúrio, enquanto tentava, com a imaginação, participar daquelas lembranças, as lembranças de um homem bem mais velho do que ela, mas com quem sintonizava exatamente por aquele seu lado sensível, aquele seu lado... Não sabia bem como dizer. Sabia — isso sim, ela sabia — que o amava, que gostava muito dele...

— E um dia — ele prosseguiu, — um dia o nosso campo acabou. Ou melhor: acabaram com ele.

— O que houve?

— Era uma tarde, uma tarde como essa, uma tarde de setembro. Eu nunca vou esquecer. Nós estávamos jogando, e aí, de repente, um caminhão veio entrando pelo campo e parou ali, perto do gol. Nós interrompemos o jogo e ficamos olhando. Dois caras desceram. Eles foram caminhando para o gol, e aí um deles, um gordo, mal-encarado, que estava com uma marreta na mão, disse qualquer coisa como "acabou a farra, meninada, pode ir pegando o caminho de casa", e aí começou a dar umas marretadas no travessão, para derrubá-lo.

— E vocês?...

— Nós? Nós ficamos ali, parados, olhando, sem entender nada, sem entender uma brutalidade daquelas. Então um da nossa turma perguntou por que eles estavam fazendo aquilo, e o outro sujeito, o que estava ajudando o gordo, respondeu que eram "ordens", ordens da prefeitura, e só, não disse mais nada. E continuaram, os dois, naquela obra de demolição.

— Hum...

— E de repente, de repente aqueles retângulos mágicos, causa de tanta emoção, tanta alegria, eram apenas um punhado de paus amontoados no chão e depois atirados, com indiferença, na carroceria de um caminhão...

— E o menino? — ela perguntou.

— O menino? O menino foi embora para casa. Foi embora, e quando lá chegou, fechou-se no quarto e chorou. Chorou de dor, de raiva, de revolta por ver destruído, e daquela forma, algo que para ele era tanto...

Ele ficou um instante calado. O sabiá cantava. Uma aragenzinha passou pela praça.

— Só depois — ele contou, — só algum tempo depois é que eu vim a saber da história.

— História?...

— Por que eles fizeram aquilo, por que acabaram com o campo.

— Por que acabaram?

— O prefeito, em final de mandato e candidato à reeleição, como tinha poucas chances de vencer, resolveu de uma hora para outra, em desespero de causa, inaugurar essa praça. Mandou então fazer aquilo, tirar os gols, depois furou uns buracos, despejou uns montes de areia, brita e não sei mais o quê, e alguns dias depois, com todas as pompas, com banda de música e tudo o mais, inaugurou a praça, prometendo que em pouco tempo daria à cidade sua maior e mais bela praça, uma das maiores e mais belas do Brasil, etcétera, etcétera, todo esse blá blá blá dos políticos...

— E aí?

— Aí? Bem: o cara se reelegeu; ele conseguiu. Mas fez a praça? Fez? O que você acha?

— Acho que não fez...

— Não fez nada. Ele alegou que a prefeitura não tinha verba. E aí não fez. Enrolou os quatro anos e não fez. Aí o sucessor dele, que era seu inimigo político, também não quis fazer: ele ia fazer uma praça que seu inimigo inaugurara?... E, assim, mais quatro anos se passaram. Até que o terceiro prefeito, que não era melhor que os outros dois, mas porque a pressão popular era grande, pois isso aqui tinha virado uma espécie de lixão, onde as pessoas jogavam o que queriam, começou a construir a praça. Começou, porque concluir mesmo só o prefeito seguinte. Ou seja: daquele dia fatídico até a construção da praça mais de dez anos se passaram...

— A praça é bonita — ela disse, passeando os olhos ao redor.

— É, bonita ela é, não posso dizer que não. Mas... — ele não terminou, deixando o resto da frase no ar.

Olhou as horas no relógio.

— Acho que é bom a gente ir andando — disse. — Ainda temos de arrumar as nossas coisas no hotel, e até a saída do ônibus o tempo já não é mais tanto assim...

Eles se levantaram e foram, devagar, fazendo o caminho de volta. As primeiras sombras da noite já vinham chegando — e o sabiá, incansável, continuava a cantar.

— Esse sabiá está animado — ela disse.

Olhou, surpreso, para ela — e, num impulso, abraçou-a.

— O que foi? — ela perguntou.

— Nada — ele disse, — é que eu te amo...

Ao final da alameda, ele parou e voltou-se: teve vontade de fazer um gesto de despedida — despedida do velho campo, do menino e de um tempo que de há muito e para sempre se fora —, mas achou que o gesto seria meio ridículo, e não fez.

Luiz Vilela nasceu em Ituiutaba (MG) em 1942. Formou-se em Filosofia, em Belo Horizonte. Foi jornalista em São Paulo. Morou algum tempo nos Estados Unidos e outro tempo na Espanha. Atualmente, mora em sua cidade natal. Começou a escrever aos treze anos. Aos 24, estreou na literatura brasileira com o livro de contos *Tremor de terra*, e com ele ganhou o Prêmio Nacional de Ficção. Vilela ganhou também o Prêmio Jabuti, de melhor livro de contos do ano, com *O fim de tudo*. É autor de treze livros, todos de ficção, entre os quais a novela *O choro no travesseiro* e o romance *O inferno é aqui mesmo*. Já foi adaptado para o teatro, o cinema, a televisão e traduzido para várias línguas. Seu livro mais recente é a novela *Bóris e Dóris*.

O monte sagrado

Nélida Piñon

A fotografia, ligeiramente sépia, fala da menina que fui entre os dez e doze anos. Leva meu nome, meus atributos, reflete minha história. Sei bem onde nela estava quando alguém, com a câmera na mão, fixou a visita ao monte Pé da Múa, nas cercanias de Borela, aldeia de meu pai, Lino.

Naquele território mítico da infância galega, encontram-se as minhas pegadas, pedaços soberbos da minha imaginação. Em meio às pedras e o "toxo", vegetação rasteira salpicada de verde e amarelo típica de Cotobade, há pigmentos meus, dores e alegrias. Também sobressaltos e alvoroços de um coração em formação, mas já pungente.

Olho-me na foto. O rosto ainda é meu, a despeito do semblante atual pouco guardar daquela menina. Tudo nele traz-me o sentido da aventura vivida, celebra uma paixão que refulgia expulsando as sombras. A memória de hoje reserva a avassaladora liberdade do passado, obriga-me a indagar que outra felicidade podia equiparar-se àquela, quando, sob o impulso de tantas quimeras, eu pulava da cama ansiosa por desbravar o universo galego a partir da casa da avó Isolina. Sempre em obediência ao brado interior que proclamava ser eu heroína de mim mesma. Capaz, portanto, de lançar-me à ação que me levasse à Índia ou mesmo ao centro da terra, seguindo os desígnios de Júlio Verne. E isto porque qualquer peripécia, a mais temerária, estava ao meu alcance. E como não iria confiar na vitória se, sozinha, escudada pelo sentido histórico da sorte, que por sinal torce em favor dos heróis, eu podia dissipar as forças do mal e abolir as noções do perigo?

A história da foto começa, de verdade, antes da viagem à Galícia, tão logo o pai nos comunicou a ida à Espanha, sua terra natal. Segundo ele, chegara o momento da filha aprender os ensinamentos das culturas brasileira e espanhola e sair fortalecida desta difícil fusão. Também os avós Daniel e Amada, pais de minha mãe, nos acompanhariam mediante a promessa de que, em caso de algum infortúnio, seriam devolvidos ao Brasil para o enterro na terra onde haviam vivido como nativos.

Após a despedida da família, que nos acenaria do porto até nos perdermos no tênue fio do horizonte, embarcamos no navio inglês, atracado no píer da Praça Mauá. Já no início da viagem os ingleses crivaram os passageiros com regras e diversões, exigindo que nos ajustássemos às suas marcas civilizatórias. E ao atingirmos o alto-mar, deixando longe a Baía de Guanabara, pareceu-me esquecer os detalhes prévios à viagem, como a nossa ida ao Leblon, onde a mãe encomendara os baús nos quais acomodaríamos os produtos a serem levados para uma Espanha desfalcada de tudo, marcada pelas cicatrizes provenientes da guerra civil e do isolamento que a Europa a condenara por conta do regime franquista.

À bordo, o cotidiano era intenso. Exaltada com as festas, a programação esportiva, os ruídos das línguas estrangeiras, rendi-me à comemoração da travessia do Equador, quando, sob a regência de Netuno, nos ofertaram o diploma de experientes marinheiros. Por tal motivo realizando-se uma noite de gala na qual se destacava a entrada no salão dos garçons trazendo, sobre a palma da mão erguida, uma bandeja de prata onde pousava envolta em chamas a deliciosa sobremesa conhecida como Baked Alaska. Tal pompa tendo o propósito, quem sabe, de despertar a fantasia humana, em geral encerrada na concha nacarada, e fazê-la brilhar.

O Cabo de Hornos finalmente atracou em Vigo, já no coração de Galícia. O pai, do convés, indicou-nos a família que, no cais, agitava-se com a fúria impulsionada pelos anos de separação e pela esperança de serem felizes com aqueles "brasileiros" que, após longos anos de exílio, regressavam à Galícia com algumas moedas no bolso.

Desci as escadas temendo ser tragada por aquela gente que, diversa do povo deixado no Brasil, impunha-me uma sequência de atos e costumes de forma que eu me rendesse a uma cultura disposta a alterar a minha vida para sempre.

O pai , por sua vez, colaborava em me fazer ditosa. Agia para eu jamais esquecer o cenário do seu presépio amoroso. Em consonância assim com o seu desejo, os parentes, vindos de Cotobade, abraçavam-me como se houvessem, afinal, recuperado um objeto perdido. Havia entre eles o acordo tácito de que, a partir daquele instante, a menina brasileira teria a alma inoculada pela memória galega. E conquanto fosse uma memória ainda incipiente, eu intuía o perigo de sucumbir aos seus ditames imperativos, aos barulhos da língua áspera e antiga, à tradição que ameaçava apagar o que aprendera até aquela data.

O arrebato rústico daquela grei excedia às minhas expectativas. Mas o que exigiam eles de mim? Sobretudo as mulheres que, de trajes negros, pranteando algum morto recente, ostentavam de fato um luto eterno. Pois sempre que estavam na iminência de desvencilhar-se daquela espécie de mortalha, um novo falecido cobrava-lhes lamúrias e sacrifícios.

Chovia no novembro invernal. Ao deixarmos Vigo e a bela e melancólica Pontevedra para trás, o carro tomou o rumo da Corredoira, uma subida estreita cercada de pedras e do verde austero. A paisagem, exuberante, conquanto desolada, despertou-me a sensação de que, a qualquer descuido do motorista, rolaríamos ribanceira abaixo até chocar-nos contra o rio Almofrei, no fundo do vale.

À entrada de Borela, a lama impedia que seguíssemos adiante. Havia que seguir de charrete, enquanto a bagagem era transportada pelos carros de boi. Para mim, porém, sensível ao que empanava o brilho do mundo, aquela Galícia, aparentemente triste, fazia-me lamentar a própria sorte. O que estava eu a fazer em uma terra contrária à luminosidade brasileira? Mas ao atravessarmos a pequena ponte de estilo românico, que dava acesso à Borela, senti, de repente, que estava destinada a amar aquela terra única. E que, graças ao mistério do amor, haveria de interpretá-la até o final da minha vida. Nada teria o poder de me isolar daquela raça, que era a minha também. Diante de que circunstância fosse, eu sempre encontraria a desculpa para defender a Galícia e os galegos. Seria brava e contundente no uso das palavras, no lirismo do meu amor por eles.

Após a ponte, a capela miúda me comoveu. Intuí que a ponte e a capela seriam as moradas do meu júbilo e desconsolo. Escorada por ambos os monumentos, eu revitalizaria minhas energias sempre que prestes a desmoronar.

A casa da família do pai, de pedra, e com mais de duzentos anos, tinha a alcunha de Porta Carneira. Eu observava a avó Isolina, que me recebera com carinho e discrição, como um ser delicado, uma austera porcelana Tanagra. Ao deslizar ela pelo assoalho, evitava chamar a atenção. Os cabelos, de todo grisalho, contrastavam com a sobra de juventude que havia nos olhos azuis, líquidos e transparentes como a água do mar.

Da varanda da casa, eu tinha a ilusão de enxergar além do horizonte. Ingressava no opaco enigma da paisagem. Nestas horas, atraía-me desembaraçar das cordas e voar para longe, sem a perspectiva de retornar ao cativeiro do lar. Ciente de que era mister dar curso às aventuras que me aguardavam no bojo da terra.

Não havia entraves para mim naquela aldeia. Com naturalidade, enlaçava os rastros brasileiros com as pegadas galegas. E se no início encontrara dificuldade de repetir os nomes das aldeias pertencentes à Cotobade, agora dizia com familiaridade Borela, Carvalledo, Rebordelo, San Xurxo. De cada localidade gotejava um sangue de onde eu provinha.

A vista da casa realçava o Pé da Múa, que ladeava a aldeia ao norte. De longe, o monte parecia-me tão inexpugnável quanto o Anapurna. À época, tendo apenas dez anos, a vida, lá fora, tinha as medidas do meu corpo. Assim, a realidade burlava dos meus princípios e a imaginação excedia-se para me confundir. Nem por isso desisti do projeto de galgar um dia aquele pico que fazia crer aos moradores de Borela fazer parte de uma cordilheira imponente.

Naquele período, tudo me parecia permitido. O escasso conhecimento que tinha da existência, longe de me inibir, me liberava. Com tal estímulo, seria fácil montar um centauro que me levasse para longe, sem hora certa para ser devolvida à casa. Afinal, eu tinha a convicção de que o pai, belo e galante, seria sensível aos meus pedidos. Era um escudeiro que me forjava para enfrentar a odisseia de uma certa vida que eu haveria de ter. Suspeito que, por confiar no meu destemor, armou-me cavaleira na capela à entrada de Borela, onde eu ia com frequência. E, às escondidas, inscreveu-me em uma justa acertada entre ele e a ambição que via aflorar no meu imaginário.

Para retribuir a sua generosidade, dando-lhe prova de independência, pedi-lhe que me deixasse ir sozinha ao Pé da Múa. Esta viagem, de iniciação, dispensava testemunhas. Só eu poderia relatar o meu encontro com as forças vivas da Galícia, como iria tecer no coração meu repertório de lendas. Mas prometi-lhe que nenhum mal me adviria. Também eu receava bordejar um monte que ganhara dimensão mítica. Mas, caso errasse nos cálculos, receberia como castigo perambular a esmo, não reconhecendo o caminho de volta à Porta Carneira.

Pela manhã, o pai seguiu para Pontevedra e, ao regressar, trazia uma expressão de triunfo. Entregou-me, solene, o estojo onde havia dentro um canivete de lâmina afiada com punho de madrepérola. Bela arma que protegeria a filha dos perigos do mundo. Um gesto que insinuava ao mesmo tempo estar eu livre para subir o Pé da Múa, a primeira conquista na longa temporada em Cotobade. Entregou-me, ainda, o mapa de Cotobade, feito a mão, para não me extraviar, e envolveu-me a cintura com o cinto de couro do qual pendia a sacola adequada para o farnel. Todos os sinais proclamando que chegara o momento de partir.

Eu queria tanto sair-me bem, desfrutar dos prazeres do modesto cotidiano, descascar frutas, fatiar o queijo, o pernil do presunto, aparar o galho do carvalho. Na qualidade de peregrina, apoiar-me no cajado, sem perder de vista uma faixa de terra atrás da qual se escondia o deus da minha fé.

A merenda, composta de pão de centeio, à ausência do trigo naquela Espanha pós-guerra, de lâminas do presunto serrano, originárias dos pernis dependurados no teto da cozinha, de queijo titilha, com formato de um seio, de maçã e frutos secos, encontrados na própria casa, onde havia abundância. Ingredientes que provocariam em mim o mesmo efeito do espinafre em Popeye, cujas histórias, tendo Olívia Palito ao seu lado, me deslumbraram desde a infância.

Agasalhada contra o frio, e de "socos" de madeira nos pés, lancei-me à excursão. Pronta a enfrentar o vento norte com seu poder de desnudar as árvores, de varrer a folhagem, de filtrar os ruídos ameaçadores que vinham de todas as partes, iria eu finalmente enveredar por uma zona desconhecida.

Entre feliz e sobressaltada, com a sensação de partir sem um retorno assegurado, cruzei o rio Almofrei. Subia como uma cabra que prende os pés nas pedras, enquanto esquivava-me do "toxo" a espetar as pernas. Não sei quanto tempo levei para sentir o ar rarefeito. Arfava, mas em compensação a paisagem, agora alargada, descortinava uma visão que me fora até então negada. Pareceu-me ser parte de um universo do qual nunca mais seria desalojada. Prossegui, porém, até uma área descampada, onde havia as ruínas de um antigo castro romano. Um amontoado de pedras que a especulação popular dizia haver abrigado os romanos que, em sua política expansionista, ali viveram, acenderam o fogo, assaram o cordeiro galego.

Havia poucas árvores em torno. Da altura, eu vislumbrava os vestígios das casas, das "veigas", de algum animal pastando. Esforçava-me por identificar as aldeias conhecidas, imaginando qual delas era Carvalledo, onde semanalmente íamos visitar os avós Daniel e Amada.

Enquanto contemplava o vale, perdia a noção do tempo. Nenhuma presença inimiga me ameaçava ou perturbava. A realidade favorecia-me, ensejava que eu viajasse com a imaginação e pousasse a salvo no meu quarto. Mas para comemorar os bons sentimentos, comi com prazer. O canivete, ora a meu serviço, seria útil para estripar o animal cuja carne iria salvar a tribo da miséria acumulada em milênios. E porque amava as histórias, narrei em voz alta aquelas recém-contadas pelos velhos galegos. Agia como se dispusesse de um auditório desta vez formado por insetos, pedregulhos e vacas soltas. Algumas destas narrativas eram tão verossímeis que não teriam se originado da máquina da invenção.

Não tinha relógio para consultar, mas começara a escurecer. Havia tempo, porém, de chegar em casa a salvo. Desci a encosta pensando como retribuir a generosidade do pai. Ao entrar na casa da avó, o pai abraçou-me. Retribuí o carinhoso abraço querendo dizer-lhe que era mister ousar. Tudo seria permitido se me habilitasse às aventuras que a imaginação costuma pregar pelo mundo.

A partir daquela primeira excursão, sentia-me dona do Pé da Múa. A ponto de montar, destemida, o garanhão que encontrara solitário nas encostas. E à medida que ia me familiarizando com o idioma galego e as tradições locais, reagia a qualquer controle abusivo. Sustentada pela felicidade, só o espírito desabrido pautava-me a conduta naquele Cotobade constituído de treze aldeias. Em todas elas eu encontrando, a meu serviço, uma imaginação generosa.

Os pais decidiram um dia acompanhar-me ao Pé da Múa. Queriam se certificar das maravilhas que alegravam a filha. Poucos membros da família vinham conosco, mas ignoro quem tirou as fotos que servem hoje de lembrança. Vestida de calça de montaria, com a blusa e o chapéu recém-comprados em Madri, eu era a cicerone. Quem melhor que eu conhecia as trilhas secretas e os arredores de Borela, a ponto de desviar, ao anoitecer, o fio de água nascido de algum manancial, e que escorria sem rumo para as "veigas" da avó Isolina. De modo que suas terras se beneficiassem dessa riqueza ao longo da madrugada.

Para o assombro de todos, eu conhecia cada pedaço daquela terra aflita que, sedenta de cuidados, produzia seus frutos com tanta dificuldade. Identificava hábitos, origens, nomes de árvores, misturando aleatoriamente o saber brasileiro com o galego, em busca da fusão que, segundo previra o pai, longe de me perturbar, serviria para enriquecer-me.

Lino e Carmen observavam a paisagem como que roubando meus olhos habituados ao panorama. Grata por tudo o que me davam, eu cedia-lhes informações. Não eram eles os seres que fomentaram o exercício da liberdade?

Após a sessão fotográfica, da qual só restam quatro fotos, nos despedimos do Pé da Múa. A montanha, sagrada para mim, foi ficando para trás ao longo de todos estes anos. Mas sempre que lá volto, já despojada da fantasia infantil, reverencio suas dimensões modestas.

Em algumas destas fotos, estou sozinha. Em outras, pai, mãe e eu aparentamos ser eternos. Esta família, no entanto, já não existe, despediu-se para sempre. Eu, porém, sinto que Carmen e Lino arfam ao meu lado, tomam café comigo. Em breve, nos encontraremos. Acaso no Hades, no purgatório agostiniano? Sinto saudades deles e não sei traduzir os sentimentos. Consola-me pensar que, por onde andam, eles me fazem companhia.

Nascida no Rio de Janeiro, onde se formou em Jornalismo na PUC-RJ, Nélida Piñon é membro da Academia Brasileira de Letras e foi sua presidente em 1997. Já recebeu inúmeros prêmios nacionais e internacionais, dos quais se destacam o Prêmio Jabuti, de melhor romance do ano, com *Vozes do deserto* (2005), e o Prêmio Príncipe de Astúrias (Espanha, 2005). Também recebeu condecorações e títulos, entre eles o "Doctor Honoris Causa", da Université de Montreal, Canadá (2004). A escritora tem livros traduzidos em mais de vinte países e participou de várias antologias nacionais e internacionais, além de ter participado de inúmeros congressos e proferido palestras no Brasil e no exterior.

A foto oficial

Walcyr Carrasco

Reis e presidentes têm sua foto oficial. Sãos uns retratos sérios, em que a personalidade parece estar com uma batata na boca. Ou então com um sorriso muito desenxabido. Enfeitados por molduras, são dependurados em repartições e todo o tipo de órgão público. Bebês, de certa maneira, têm as suas. A mãe agita o chocalho para que o pimpolho seja clicado bem contente. *Misses* e debutantes também são fotografadas com a boca esticada de orelha a orelha. Casamento também não pode deixar de ter. Os noivos posam, lado a lado, com uma expressão de felicidade. A noiva de branco, com o buquê. O rapaz de pé, ao lado, enfiado em um terno. Depois são feitas outras, com os pais, os padrinhos! Muitas vezes, no local da festa. Outras, em parques, lagos. O retrato fala da pessoa, de seu sentimento, da situação. Fotos oficiais, nem sempre. Anos depois, quando a gente olha, lembra-se.

— Puxa, naquele dia eu estava com dor de dente... e olha o sorriso!

Escritores também têm fotos oficiais, aproveitadas nos livros, junto com a biografia. Não existe regra, mas eu costumo sorrir feliz da vida quando a imagem é para um livro infantojuvenil. Imagino que se escrevesse uma obra de pesquisa científica, ou meditação filosófica, teria de aparecer sério. Para transmitir profundidade. Bem... talvez! Se assinar a autoria de um romance policial, devo ser fotografado com um punhal sangrento na mão?

Tirei minha foto oficial no quarto ano escolar. Foi importante quando criança. Mais ainda quando voltou às minhas mãos, já adulto, como um gesto de carinho que nunca esqueci. Essa é a história que vou contar.

Desde criança eu acordava em cima da hora. Corria algumas quadras até a escola, com a pasta batendo nos joelhos. Um quarteirão antes, ouvia o sinal. Sem fôlego, chegava quase sem respiração. Nunca perdi uma aula por atraso. Várias vezes entrei com o portão fechando, aos gritos:

— Espera, espera por favor! Estou entrando!

Naquele dia notei uma movimentação especial. Apesar do sinal, grupos de alunos permaneciam do lado de fora, conversando. Logo pensei em tragédia. Há alguns meses um jipe virara com três alunos e a família! Aproximei-me. Um colega correu em minha direção:

— Hoje tem fotografia!

Explico: No início dos anos 60, as câmeras não eram como as de hoje. Rápidas. Digitais. Fotos eram iluminadas por *flashes* manuais. O foco dependia do olho do fotógrafo, sem aproximações eletrônicas. Todas as máquinas exigiam filmes, que eram depois revelados. Melhorzinho de vida, meu tio possuía uma câmera fotográfica. Minha família, não. Fotos eram feitas em viagens, festas, ocasiões especiais. Não existia filme colorido. Só preto e branco. Mamãe guardava as fotos em um álbum enorme, que folheava de vez em quando. Entre elas, a de seu casamento com papai, no estúdio do fotógrafo.

A ida do fotógrafo até a escola era um evento. Cada classe seria dispensada pelo tempo necessário. Na nossa vez, ficamos no pátio brincando, enquanto éramos chamados um a um. Eu morria de vontade de ter aquela foto. Todos os meus colegas possuíam, sempre a mesma, feita pelo único profissional da pequena cidade onde morávamos. (Mais tarde a cidade cresceu, mas isso é uma outra história.) Idênticas. O aluno sentado na mesa, com um mapa atrás e um globo terrestre ao lado. Caneta na mão, caderno aberto. Nos anos anteriores, por algumas eventualidades, nunca fizera a de minha turma. Agora seria minha vez! Eu teria uma foto como a de meu irmão!

O ano estava para terminar. Logo deixaria aquela escola. Seria minha recordação!

Quando chegou minha vez, a inspetora me levou até uma sala de aula especialmente preparada. As cortinas escuras fechadas. A mesa com o globo e o mapa. Um homem magro e de cabelos grisalhos indicou a cadeira.

— Senta.

Era assustador. Observei a câmera montada sobre um tripé.

— Erga o queixo.

Tentei. Insatisfeito, ele aproximou-se. Levantou minha cabeça. Arrumou a camisa. Foi para trás da máquina, para me enquadrar.

— Erga o queixo mais um pouco.

Estiquei o pescoço. Ele ordenou.

— Sorria e não pisque.

Sempre fui tímido. Era assustador. Não fui capaz de escancarar a boca. Pior: morria de medo de piscar. Várias vezes, em outras ocasiões, eu piscara justamente na hora do *flash*. Nos retratos, aparecia de olhos fechados. Fiz força, pensando: "não vou piscar, não vou piscar, não vou..."

A luz acendeu. Ploct. Pisquei, é claro.

— Pode ir.

Saí com o coração batendo mais forte, enquanto um colega entrava. Se tivesse piscado, só descobriria quando a cópia surgisse. Tarde demais. Durante vários dias, permaneci apavorado. O jeito era esperar.

Uma semana depois, as fotos foram para a secretaria. Meu pai achou o preço caro.

— É demais!

Mamãe hesitou. Eu me lamentei. À noite, ouvi os dois conversando na cama. Morávamos em uma casa pequena. Costumava perceber suas vozes, mas nunca sabia do que falavam, antes de dormir. Percebi que ela argumentava, com a frase.

— É uma vez só!

No dia seguinte, me entregou o dinheiro. Bem a tempo. As fotos não compradas já seriam devolvidas. Muitos dos meus colegas não tiveram condições — era um colégio público —, e muitos pais lutavam arduamente para botar comida na mesa. Cheguei em casa aos pulos.

— Mamãe, vai botar na parede?

Ela observou as paredes vazias, sem um enfeite.

— Por enquanto não. Vamos mudar no fim do ano. Depois eu coloco.

Tinham comprado casa própria. Todos os enfeites, almofadas, vasos, estavam guardados para enfeitar o novo endereço. Ao longo de minha vida, passei por essa situação muitas vezes: meses antes da mudança, mamãe parecia desistir do local onde morávamos, reservando as melhores coisas para mais tarde. Era assim até com roupas. Se me comprava uma boa calça, só me deixava usar muito de vez em quando, nas festas familiares ou da igreja. Algum tempo depois, não me servia mais. Acabava dando ou vendendo ainda nova!

Guardou a foto em uma grande caixa, com outras que não couberam no álbum.

Esperei meses. O inquilino demorou para sair. Depois veio a pintura. Quando mudamos, já não lembrava muito bem daquele dia. Meu sonho agora era ter bigode. Muitas vezes examinava meu rosto no espelho, pensando: "está crescendo". Tentei raspá-lo, mas mamãe proibiu, com o argumento de que não passava de penugem. Meu pai riu:

— Você vai ter muito tempo pra fazer barba e bigode!

A foto ficou esquecida com outras: do meu primeiro ano, com um chocalho na mão. De mim e de meu irmão em cavalinhos de madeira. Outra, comigo pelado no mar, que eu odiava. Pois bastava alguém abrir a caixa para começar a piada, feita por algum parente de visita.

— Olha só! Pelado! Olha o passarinho dele!

Mais tarde, em uma nova mudança, por falta de espaço, mamãe botou o álbum e a caixa no fundo do guarda-roupa. Fui para outras escolas. Entrei na faculdade. O tempo passou.

Meus pais se aposentaram. Mudaram para Santos, uma cidade à beira-mar, para uma velhice mais descansada. Não tínhamos parentes por lá. Eu ia de vez em quando. Nos distanciamos, sem saber muito bem porquê. Em meu apartamento em São Paulo, às vezes eu tinha saudade. Mas sempre parecia ter alguma coisa mais importante para fazer do que descer a serra e passar o fim de semana com meus pais. Mamãe andava irascível. Punha defeito em tudo. Principalmente no fato de, profissionalmente, eu não andar muito bem das pernas.

— Veja, seu irmão já tem casa própria! — comentava.

Eu morava de aluguel. A crítica me doía. A situação piorou quando, certo ano, mamãe esqueceu de meu aniversário. Havia descido para a praia, para passar a data com ela. Esperava um bolo, como todos os anos. Tenho sempre a impressão de que aniversário sem bolo não é realmente aniversário. Saí cedo, estranhando a falta de cumprimentos. Ao voltar, de tarde, perguntei:

— Mamãe, não vai fazer nem um bolo?

— Ih! Esqueci!

Pode parecer bobagem, inda mais para um rapaz. Eu já era adulto, já trabalhava, morava sozinho. Mas doeu. Mamãe nunca se esquecera dos meus outros irmãos. Pelo contrário, sempre me telefonava para lembrar.

— Não deixe de ligar, é o aniversário dele.

Sabia como eu era apegado a essas coisas. Esquecera realmente?

Fingi achar normal. Não queria dar o braço a torcer. Restou a mágoa. Meus sentimentos não pareciam ter mais importância. Eu era o filho que ganhava mal. Usava cabelo comprido, quando todo mundo preferia curto. Não tinha um bom emprego. Certa vez, ao entrar na casa de meu tio, ouvi meu pai comentando:

— Não sei o que será dele. Nada dá certo.

Ao me verem, mudaram de assunto. Disfarcei, constrangido. Uma vez vieram para São Paulo e se hospedaram em meu apartamento. Começou uma discussão.

— Você não ouve nossos conselhos! — acusou mamãe.

— Não quero ter uma vida igual a de vocês.

— O que a nossa vida tem de errado? Se sabe tanto, por que mal ganha para pagar o aluguel?

Falamos coisas terríveis, nós três. Foram embora um dia antes. Alguns meses depois, voltamos a nos falar. Com cuidado, porque a briga poderia explodir novamente. O fim do ano se aproximou, e com ele um novo aniversário. Mamãe pediu para passar pelo meu apartamento de tarde, ao chegar de viagem. Era mais perto da rodoviária. Meu irmão viria buscá-la.

— Não vai me esperar? — surpreendi-me.

Explicou que seria impossível, por causa dos compromissos de meu irmão. Não estranhei. Costumava ser prática. Deixei a chave na portaria. Propositalmente, cheguei até um pouco mais tarde. "Se não faz questão de me ver, também não faço!" — pensei, magoado.

O apartamento estava escuro. Ela já partira. Fui tomar um copo d'água. O único sinal de sua passagem eram os pratos lavados na pia, assim como os talheres e xícaras. Eu tinha a maior preguiça de lavar a louça. Entrei no quarto, para pegar uma toalha de banho. Acendi a luz.

Pendurada na parede, acima de minha escrivaninha, estava a foto. Minha foto oficial do quarto ano. Mamãe a emoldurara em branco e vermelho. Não havia recado, mensagem alguma. Meu aniversário seria dali a dois dias. Fora sua forma de reatar os laços que estavam esgarçados. A foto, que tivera significado na minha infância. Eu a trouxera para casa com tanta alegria! Meu sorriso tímido, os olhos abertos, um instante antes de piscá-los! Era como se mamãe dissesse que, apesar das brigas, discussões, eu ainda era seu garotinho para quem fazia sanduíche de ovo frito. Um gesto de carinho para falar diretamente com a criança dentro de mim.

Tocado, liguei. Meu irmão foi chamá-la. Quando veio ao telefone, eu disse simplesmente:

— Adorei o presente, mamãe. Adorei.

Ouvi uma risada feliz do outro lado. Desliguei com um sorriso. Sabia que dali em diante, apesar dos confrontos, tudo seria muito melhor. Apesar do tempo, da idade, das diferenças, nosso amor continuava o mesmo. Como meu sorriso naquele retrato.

Finalmente, a foto oficial estava dependurada na parede.

Dramaturgo e roteirista de televisão, Walcyr Carrasco nasceu em Bernardino de Campos (SP), em 1951. Depois de cursar jornalismo na USP, trabalhou em redações de jornal, exercendo funções que vão desde escrever textos para coluna social até reportagem esportiva. Autor das peças de teatro *O terceiro beijo*, *Uma cama entre nós*, *Batom* e *Êxtase*, escreveu os livros infantojuvenis *Irmão negro*, *O garoto da novela*, *A corrente da vida*, *O menino narigudo*, *Estrelas tortas*, *O anjo linguarudo* e *Mordidas que podem ser beijos* (todos pela Moderna) e também minisséries e novelas de sucesso, como *O Cravo e a Rosa*, *Chocolate com pimenta* e *Alma gêmea*. *O golpe do aniversariante* e *Pequenos delitos* reúnem parte de suas crônicas, publicadas originalmente pela revista *Veja SP*.